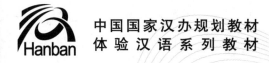

中国国家汉办规划教材
体验汉语系列教材

CW00801406

体验汉语®

基础教程

练习册 （下）

总策划　　刘　援

主　编　　姜丽萍

副主编　　刘丽萍

编　者　　刘丽萍　吕　霖　裘珊珊

高等教育出版社
Higher Education Press

图书在版编目（CIP）数据

体验汉语基础教程练习册. 下/姜丽萍主编.—北京：
高等教育出版社，2009.3（2010重印）
 ISBN 978-7-04-025862-2

Ⅰ.体…　Ⅱ.姜…　Ⅲ.汉语－对外汉语教学－习题

Ⅳ.H195.4

中国版本图书馆 CIP 数据核字（2009）第 027242 号

| 策划编辑 | 梁　宇 | 责任编辑 | 王　群 | 封面设计 | 彩奇风 | 版式设计 | 刘　艳 |
| 插图选配 | 王　群 | 责任校对 | 王　群 | 责任印制 | 尤　静 | | |

出版发行	高等教育出版社	购书热线	010-58581118
社　　址	北京市西城区德外大街4号	免费咨询	800-810-0598
邮政编码	100120	网　　址	http://www.hep.com.cn
总　　机	010-58581000		http://www.chinesexp.com.cn
		网上订购	http://www.landraco.com
经　　销	蓝色畅想图书发行有限公司		http://www.landraco.com.cn
印　　刷	北京凌奇印刷有限责任公司	畅想教育	http://www.widedu.com
开　　本	889×1194　1/16		
印　　张	11	版　　次	2009 年 3 月第 1 版
字　　数	325 000	印　　次	2010 年 3 月第 2 次印刷

本书如有印装等质量问题，请到所购图书销售部门联系调换。

物料号　25862-00

ISBN 978-7-04-025862-2
04200

目　录

第25课 我对中国书法非常感兴趣

语法练习 Grammar

一 看图和拼音，把词语填写完整。Complete the words according to the pictures and *pinyin*.

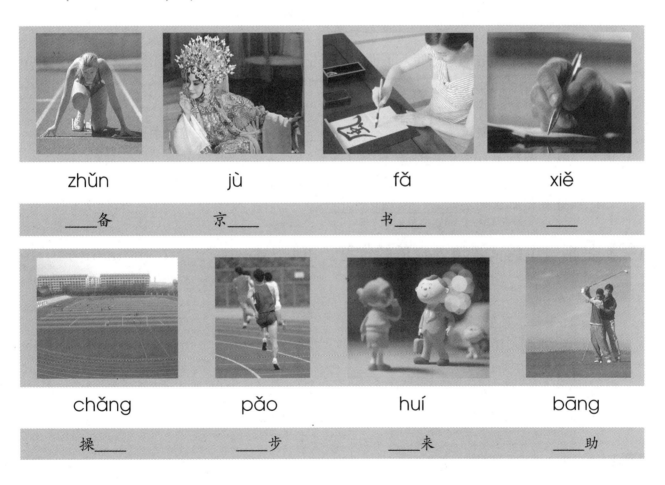

zhǔn	jù	fǎ	xiě
＿＿备	京＿＿	书＿＿	＿＿

chǎng	pǎo	huí	bāng
操＿＿	＿＿步	＿＿来	＿＿助

二 选词填空。Fill in the blanks with the appropriate words.

> 准备　找　楼下　帮助　不错

1. 十分钟以后我们在＿＿＿＿＿见吧。

2. 我正_____去游泳呢。

3. 你的汉语说得真_____。

4. 你_____张华有事吗?

5. 参加演讲比赛对练习发音很有_____。

三　完成下面的题目。Complete the following exercises.

1. 把下面两组词语连接在一起。Match the words of the two columns.

练　　　　　　考试

准备　　　　　不错

感　　　　　　不散

写得　　　　　书法

不见　　　　　兴趣

2. 选择题1中组成的短语写入下面的句子中。Fill in the blanks with the phrases from the above exercise.

(1) 我对汉字非常_____。

(2) 我这个星期正在_____，这次我一定要超过卡伦。

(3) 你的汉字_____。

(4) _____对学习汉语很有帮助。

(5) 我们七点见，_____。

四　把括号中的词语填入合适的位置。Put the words into the appropriate places.

1. 对不起，我A来B晚C了。　　　　　　（又）

2. 我A跟朋友B聊天C呢。　　　　　　　（在）

3. A喜欢B不难C。　　　　　　　　　　（就）

4. A惠美B中国书法C很感兴趣。　　　　（对）

5. 我A做B作业C了。　　　　　　　　　（完）

五　用"又"或"再"填空。Fill in the blanks with "又" or "再".

1. 他昨天没有上课，今天_____没有上课。

2. 这个字你_____写错了。

3. 我_____检查检查。

4. 我想前边_____剪短一点儿。

5. 卡伦_____去图书馆了。

选择正确的答案。Choose the appropriate alternatives.

1. 你在做什么_____？
   A. 吧
   B. 呢
   C. 吗

2. 你学习_____，我去教室找她。
   A. 吧
   B. 呢
   C. 吗

3. 我_____把作业本忘在家里了。
   A. 再
   B. 总
   C. 又

4. 我_____京剧不感兴趣。
   A. 和
   B. 对
   C. 跟

5. 下面哪句话是不正确的？_____
   A. 你写得真好。
   B. 你写得真不错。
   C. 你写得真错。

七 选择正确的问句或答句。Choose the appropriate questions or answers.

1. A：你最近在忙什么？
   B：_____。
   □ 我正准备演讲比赛呢
   □ 我正准备演讲比赛了

2. A：你在做作业吗？
   B：_____。
   □ 我没做作业
   □ 我正做完作业

3. A：_____？
   B：我找马克。
   □ 你找什么
   □ 你找谁

4. A：练书法难不难？
   B：_____。
   □ 喜欢才不难，不喜欢才难
   □ 喜欢就不难，不喜欢就难

5. A：一刻钟以后我们在食堂见。
   B：好的，_____。
   □ 不见不散
   □ 不散不见

八 仿照例句，用所给的词语完成句子。Complete the sentences with the given words.

例：快起床吧！<u>该上课了</u>。   （该……了）

第25课 我对中国书法非常感兴趣 3

1. 今天路上堵车，不好意思，我_____。　　　（又……了）
2. 我_____，经常看。　　　（对……感兴趣）
3. A：你看看我的汉字写得怎么样？
   B：_____。　　　（不错）
4. A：你在做作业吗？
   B：_____。　　　（没）
5. A：你在做什么呢？
   B：_____。　　　（预习）

九　根据所给的词语，把下列对话填写完整。Complete the dialogue with the given words.

卡伦：　_____，你最近还好吗？（好久）

惠美：　我很好。_____？（忙）

卡伦：　我最近在准备汉语演讲比赛，你呢？

惠美：　我最近_____。（在……呢）

卡伦：　学书法？书法不太容易，你喜欢吗？

惠美：　我_____，每天都练。（对……很感兴趣）

卡伦：　那你的汉字也一定写得很不错！

惠美：　哪里！你的汉语说得比我流利。_____？（什么时候）

卡伦：　我下个星期三参加比赛。

惠美：　好的，下个星期三我也去看，加油！

卡伦：　谢谢！

十　完形填空。Cloze.

1.　　马克好久(1)_____见到张华了，晚上，马克(2)_____张华打了一个电话。马克和安德鲁想去看京剧，希望（hope）张华跟他们一起去。张华最近很忙，她(3)_____准备托福考试，(4)_____她还是想去看。半个小时(5)_____他们在楼下等张华。

(1) A. 不　　　　　　　B. 没　　　　　　　C. 只
(2) A. 替　　　　　　　B. 对　　　　　　　C. 给
(3) A. 又　　　　　　　B. 再　　　　　　　C. 在
(4) A. 可是　　　　　　B. 非常　　　　　　C. 特别
(5) A. 以前　　　　　　B. 以后　　　　　　C. 以来

2.　　张华去找卡伦，卡伦(1)_____了，她可能在操场跑步。惠美做(2)_____作业了，(3)_____练习书法。惠美的书法写(4)_____很不错，她对中国书法非常感兴趣。最近，惠美正跟一个中国老师学书法。她觉得练书法(5)_____学习汉语也很有帮助，她每天(6)_____练。

(1) A. 出去   B. 出来   C. 回来
(2) A. 到   B. 错   C. 完
(3) A. 正在   B. 刚   C. 还
(4) A. 的   B. 地   C. 得
(5) A. 对   B. 跟   C. 和
(6) A. 也   B. 都   C. 就

汉字练习   Chinese Characters

一 根据拼音写汉字。Write Chinese characters according to *pinyin*.

bāngzhù	nǔlì	zhǔnbèi	xìngqù

二 选择正确的汉字。Choose the correct Chinese characters.

1. 我正_____备演讲比赛呢！   （准　谁）
2. 我在楼_____等你。   （卡　下）
3. _____书法难不难？   （炼　练）
4. 我对书法非常感兴_____。   （取　趣）
5. 卡伦一会儿就回_____。   （来　未）

三 根据拼音，用所给的部件组成新字，然后填入后面的句子中。Compose new Chinese characters by *pinyin* and the given components. Then complete the sentences with them.

例：

部件一	夕
部件二	夕
拼音	duō

你练书法练了（ 多 ）长时间？

部件一	力	力	田	氵	扌
部件二	八	且	夂	去	戈
拼音	bàn	zhù	bèi	fǎ	zhǎo

1. 你（　　）我有事吗？
2. 我很喜欢中国书（　　）。
3. 我最近在准（　　）演讲比赛。
4. 多和中国人聊天儿对口语很有帮（　　）。
5. 在哪儿（　　）借书卡？

四 填入汉字，使上下左右均能连成句子。Fill in the blanks to form sentences.

```
                            她
       书          念    □    了
       忘                书
  我  □  准  备  语  □  考  试
       家                感
       里                兴
       了                趣
```

任务   Task

介绍一下你的兴趣，也调查几位同学的兴趣情况，按照示例，根据实际情况填表。

惠美	对中国书法感兴趣	对京剧不感兴趣
我		
同学1		
同学2		
同学3		

语法练习 Grammar

一 看图和拼音，把词语填写完整。Complete the words according to the pictures and *pinyin*.

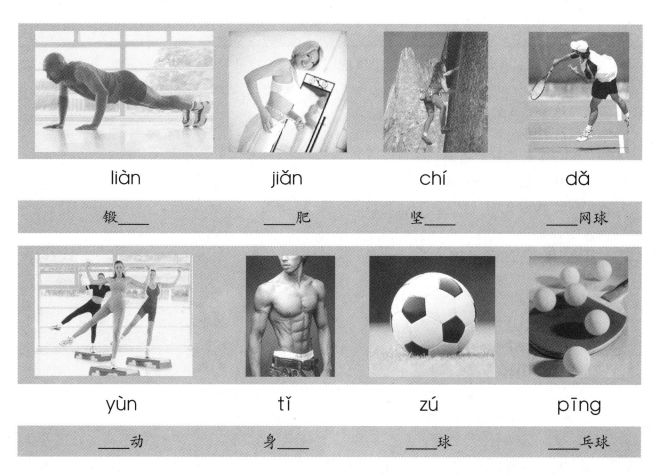

liàn	jiǎn	chí	dǎ
锻___	___肥	坚___	___网球

yùn	tǐ	zú	pīng
___动	身___	___球	___乓球

二 选词填空。Fill in the blanks with the appropriate words.

> 咱们　爱好　除了　有意思　什么的

1. 我的_____是运动。

2. 我喜欢吃馒头、包子、饺子_____。

3. _____一起去看京剧吧！

4. _____跑步以外，别的运动我都喜欢。

5. 我觉得汉字很_____。

三　完成下面的题目。Complete the following exercises.

1. 把下面两组词语连接在一起。Match the words of the two columns.

打　　　　　　　　　坚持

锻炼　　　　　　　　迷

京剧　　　　　　　　歌曲

很难　　　　　　　　身体

流行　　　　　　　　球

2. 选择题1中组成的短语写入下面的句子中。Fill in the blanks with the phrases from the above exercise.

(1) 你真是一个_____。

(2) 跑步可以_____。

(3) 我的爱好是听_____。

(4) 我觉得一个人跑步_____。

(5) 我不喜欢_____，只喜欢看球。

四　把括号中的词语填入合适的位置。Put the words into the appropriate places.

1. 除了A饺子B，我还喜欢吃面条C。　　　　　　　（以外）

2. 安德鲁A喜欢的运动B多C了。　　　　　　　　　（可）

3. 我A比B她C喜欢吃中国菜。　　　　　　　　　　（更）

4. 我的爱好有很多，A游泳、B京剧C什么的 。　　（像）

5. A上课B只有C十分钟了。　　　　　　　　　　　（离）

五　看图，并用括号中的词语完成句子。Look at the pictures and complete the sentences with the given words.

1. 她_____。（爱好）

2. 你＿＿＿＿＿＿＿？（不是要……吗）

3. 他们真是＿＿＿＿＿＿＿。（……迷）

4. 路上＿＿＿＿＿＿＿。（又……了）

5. 他们＿＿＿＿＿＿＿。（在……呢）

六　选择正确的答案。Choose the appropriate alternatives.

1. 他的发音＿＿＿＿标准了。
   A. 多
   B. 还
   C. 可

2. ＿＿＿＿比赛开始只有几分钟了。
   A. 离
   B. 往
   C. 从

3. 卡伦比我＿＿＿＿喜欢运动。
   A. 最
   B. 可
   C. 更

4. 除了鱼香肉丝以外，我＿＿＿＿想吃北京烤鸭。
   A. 都
   B. 还
   C. 可

5. 除了这个词以外，其它的词
   我＿＿＿＿会念。
   A. 都
   B. 还
   C. 可

6. 我们有很多课，＿＿＿＿口语、听力
   什么的，每天都有。
   A. 和
   B. 像
   C. 跟

七 选择正确的问句或答句。Choose the appropriate questions or answers.

1. A：你喜欢什么运动？
   B：＿＿＿＿。
   ☐ 我喜欢游泳
   ☐ 我喜欢听流行歌曲

2. A：＿＿＿＿？
   B：我觉得一个人跑步没有意思，很
      难坚持。
   ☐ 你为什么不喜欢一个人跑步
   ☐ 你为什么喜欢一个人跑步

3. A：咱们怎么练？
   B：＿＿＿＿。
   ☐ 每天下午跑一个小时步
   ☐ 每天跑下午一个小时步

4. A：你有什么爱好？
   B：＿＿＿＿。像篮球、足球什么的，
      我都喜欢。
   ☐ 我的爱好可多了
   ☐ 我的爱好还多了

5. A：你喜欢吃什么菜？
   B：我喜欢吃中国菜，＿＿＿＿。
   ☐ 像鱼香肉丝什么的，我都喜欢吃
   ☐ 像什么的鱼香肉丝，我都喜欢吃

八 仿照例句，用所给的词语改写句子。Follow the example and rewrite the
    sentences with the given words.

例：我头发的颜色是黑色；李明头发的颜色是黑色。（跟……一样/不一样）
    <u>我头发的颜色跟李明头发的颜色一样</u>。

1. 卡伦没回家；别的同学回家了。　　　　（除了……以外，都/还）
   ＿＿＿＿＿＿＿＿＿＿＿＿＿＿＿＿＿＿＿＿。

2. 我想买邮票；我想买电话卡。　　　　　（除了……以外，都/还）
   ＿＿＿＿＿＿＿＿＿＿＿＿＿＿＿＿＿＿＿＿。

3. 我觉得用筷子非常难。　　　　　　　　（可）
   ＿＿＿＿＿＿＿＿＿＿＿＿＿＿＿＿＿＿＿＿。

4. 马克考得很好；卡伦考得比马克好。　　（更）
   ＿＿＿＿＿＿＿＿＿＿＿＿＿＿＿＿＿＿＿＿。

5. 惠美有很多书；惠美有中文书，英文书…… （像……什么的）

　　　　　_____。

九　根据所给的词语，把下列对话填写完整。Complete the dialogue with the given words.

李明：_____? （什么）

惠美：我喜欢游泳。你呢?

李明：_____, 像篮球、网球、足球什么的，我都喜欢。（可）

惠美：你最喜欢什么运动呢?

李明：我最喜欢打篮球。每天下午都要打一个小时。

惠美：你真是一个_____。（……迷）

李明：你喜欢打篮球吗?

惠美：我不喜欢打，只喜欢看。_____。（更）

李明：我也喜欢，这个星期日又有足球比赛。

惠美：是啊，今天星期四，_____。我太高兴了。（离）

十　完形填空。Cloze.

1.　　　卡伦喜欢跑步。除了跑步以外，她(1)_____喜欢游泳、打球什么的。张华跟卡伦不一样，除了跑步以外，别的运动她(2)_____喜欢。张华觉得一个人跑步没有意思，很难(3)_____。卡伦觉得跑步是最好的(4)_____，可以锻炼身体，还可以减肥。张华(5)_____想减肥，她们俩准备一起锻炼，每天下午跑一个小时步。

(1) A. 都　　　　　　　B. 还　　　　　　　C. 又

(2) A. 都　　　　　　　B. 还　　　　　　　C. 又

(3) A. 跑步　　　　　　B. 完成　　　　　　C. 坚持

(4) A. 爱好　　　　　　B. 运动　　　　　　C. 兴趣

(5) A. 都　　　　　　　B. 也　　　　　　　C. 还

2.　　　马克的爱好是(1)_____流行歌曲，安德鲁喜欢运动。安德鲁喜欢的运动可多了。(2)_____篮球、网球、乒乓球、足球什么的，他都喜欢。安德鲁最喜欢打网球，(3)_____星期一、三、五下午他都要打两个小时，真是一个网球(4)_____! 马克不喜欢打，只喜欢看，他更喜欢看足球比赛。下个月在德国有世界杯足球比赛，马克(5)_____高兴了。

(1) A. 听　　　　　　　B. 说　　　　　　　C. 读

(2) A. 和　　　　　　　B. 也　　　　　　　C. 像

(3) A. 每天　　　　　　B. 每次　　　　　　C. 每

(4) A. 迷　　　　　　　B. 家　　　　　　　C. 员
(5) A. 非常　　　　　　B. 很　　　　　　　C. 可

汉字练习　Chinese Characters

一　根据拼音写汉字。Write Chinese characters according to *pinyin*.

gēqǔ　　　　　jiānchí　　　　　àihào　　　　　liúxíng

二　选择正确的汉字。Choose the correct Chinese characters.

1. 你喜欢什么_____动？　　　　　　（远　运）
2. 跑步可以锻_____身体。　　　　　　（炼　练）
3. _____们每天下午一起打球吧！　　　（咱　自）
4. 我最喜欢打_____球。　　　　　　　（内　网）
5. 我更喜欢看_____球比赛。　　　　　（篮　蓝）

三　根据拼音，用所给的部件组成新字，然后填入后面的句子中。Compose new Chinese characters by *pinyin* and the given components. Then complete the sentences with them.

例：

部件一	夕
部件二	夕
拼音	duō

你练书法练了（ 多 ）长时间？

部件一	夕	扌	钅	冫
部件二	卜	寺	昔	咸
拼音	wài	chí	cuò	jiǎn

1. 你的汉字写得真不（　　）
2. 除了跑步以（　　），别的运动我都喜欢。
3. 你不是要（　　）肥吗？
4. 一个人跑步很难坚（　　）。

四　填入汉字，使上下左右均能连成句子。Fill in the blanks to form sentences.

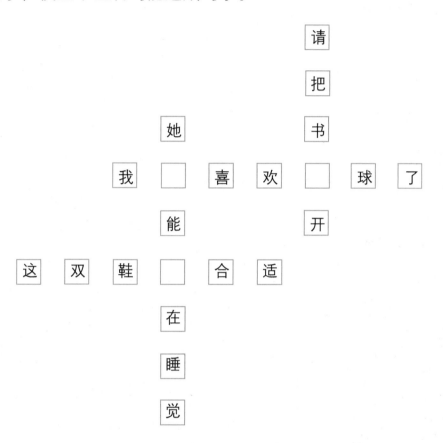

任务　Task

　　调查三位中国年轻人和三位中国老年人，看看他们平时都喜欢什么运动。同时也调查一下，看看现在在中国哪些运动很流行。按照下面的提示，写一份调查报告。
1. 被调查人的主要信息（年龄、性别、职业）；
2. 被调查人喜欢的运动；
3. 调查结果。

第27课 你看过这部电影吗

语法练习　Grammar

一 看图和拼音，把词语填写完整。Complete the words according to the pictures and *pinyin*.

yǐng	mò	guān	guǎn
电____	周____	参____	博物____

shǒu	chǎng	jūn	lǐ
____都	广____	____事	____史

二 选词填空。Fill in the blanks with the appropriate words.

有名　虽然　以前　次　要是

1. 他_____学汉语的时间不长，但是学得很好。

2. 首都博物馆我去过一_____。
3. 电影院要上映一部_____的美国电影。
4. _____我有时间的话，我就陪你去图书馆。
5. 你_____来过中国吗？

三 完成下面的题目。Complete the following exercises.

1. 把下面两组词语连接在一起。Match the words of the two columns.

这部　　　　　　电影
有　　　　　　　博物馆
当　　　　　　　空儿
参观　　　　　　一遍
读过　　　　　　翻译

2. 选择题1中组成的短语写入下面的句子中。Fill in the blanks with the phrases from the above exercise.
(1) 这本书我以前_____。
(2) _____可以了解历史。
(3) 你看过_____吗？
(4) 这个周末你_____吗？我们一起去看京剧吧！
(5) 我不懂汉语，你可以给我_____吗？

四 把括号中的词语填入合适的位置。Put the words into the appropriate places.

1. 我A去B两次上海C。　　　　　　　　　　（过）
2. 我A看B过C京剧。　　　　　　　　　　　（没）
3. A八点B我C得等一个朋友。　　　　　　　（以前）
4. A参观完B博物馆C我了解了中国的历史。　（以后）
5. 要是我的发音标准的话，A我B报名C参加比赛。　（就）

五 用适当的词语完成对话。Complete the dialogues with the proper words.

例：A：你<u>看</u>过这部电影吗？
　　B：我没<u>看</u>过。

1. A：你_____过鱼香肉丝吗？　　　　2. A：你_____过日本吗？
　 B：还没_____过。　　　　　　　　　 B：我_____过两次。

3. A：你_____过汉语吗？
   B：我在中国的时候_____过。

4. A：你_____过乒乓球吗？
   B：我_____过一次。

5. A：你_____过北京的博物馆吗？
   B：还没_____过。

六　选择正确的答案。Choose the appropriate alternatives.

1. 昨天我去_____长城。
   A. 得
   B. 了
   C. 过

2. 以前我来_____中国两次。
   A. 的
   B. 了
   C. 过

3. 这是我第一_____参观首都博物馆。
   A. 遍
   B. 个
   C. 次

4. 每个生词写三_____，都写在作业本上。
   A. 遍
   B. 个
   C. 次

5. 虽然环境还可以，_____房租有点儿贵。
   A. 还是
   B. 但是
   C. 要是

6. _____你们有问题的话，就问我吧！
   A. 还是
   B. 但是
   C. 要是

七　选择正确的问句或答句。Choose the appropriate questions or answers.

1. A：你读过这本书吗？
   B：_____。
   ☐ 我读过这本书
   ☐ 我没读这本书

2. A：你看过这部电影吗？
   B：_____。
   ☐ 我看过一遍这部电影
   ☐ 我没看过一遍这部电影

3. A：_____？
   B：没有，这是第一次。
   ☐ 你以前看过京剧吗
   ☐ 以前你看了京剧吗

4. A：还有什么要求？
   B：_____。
   ☐ 下课以后请把窗户关上
   ☐ 请把窗户关上下课以后

5. A：你找过马克没有？
　　B：_____。
　　□ 我找过他几次
　　□ 我找过几次他

八　仿照例句，用所给的词语改写句子。Follow the example and rewrite the sentences with the given words.

例：我头发的颜色是黑色；李明头发的颜色是黑色。
　　<u>我头发的颜色跟李明头发的颜色一样</u>。　　（跟……一样/不一样）

1. 这件毛衣很漂亮；这件毛衣有点儿小。
　　_____。（虽然……但是……）
2. 你来；你给我打电话。
　　_____。（要是）
3. 我见卡伦；我们见两次面。
　　_____。（V+过）
4. 我吃饭；我看电视。
　　_____。（一边……一边……）
5. 我写完作业；我开始练书法。
　　_____。（以后）

九　根据所给的词语，把下列对话填写完整。Complete the dialogue with the given words.

惠美：_____？（V+过）
马克：我以前没去过长城。
惠美：明天我去长城，_____，我们就一起去吧！（要是）
马克：你也没去过长城吗？
惠美：虽然我以前去过一次，_____。（但是）
马克：太好了！_____？（什么时候）
惠美：早上七点钟我们在楼下见。
马克：好的，_____。(以前)

十　完形填空。Cloze.

1. 　　这个周末马克和张华准备去电影院看电影。这是一(1)_____非常有名的美国电影。马克(2)_____在美国看过一遍，可是他还想再看一遍。(3)_____电影是英文的，但是有中文字幕。马克觉得张华可以听懂。(4)_____张华听不懂的话，马克觉得他可以给张华当翻译。张华还是决定自己(5)_____听英文一边看字幕。

(1) A. 种　　　　　　　B. 套　　　　　　　C. 部
(2) A. 以前　　　　　　B. 以后　　　　　　C. 最后
(3) A. 虽然　　　　　　B. 要是　　　　　　C. 总是
(4) A. 要　　　　　　　B. 要是　　　　　　C. 要紧
(5) A. 一共　　　　　　B. 一边　　　　　　C. 一起

2.　　　北京的博物馆有很多，(1)_____首都博物馆、军事博物馆、历史博物馆什么的。安德鲁以前没有参观(2)_____北京的博物馆。他(3)_____中国历史特别感兴趣，他想去中国历史博物馆参观。中国历史博物馆就(4)_____天安门广场的东边。卡伦去过一(5)_____。卡伦觉得参观(6)_____以后，她了解了中国从1840年到1949年的历史。要是安德鲁去，卡伦可以陪他。

(1) A. 和　　　　　　　B. 像　　　　　　　C. 跟
(2) A. 的　　　　　　　B. 过　　　　　　　C. 了
(3) A. 对　　　　　　　B. 跟　　　　　　　C. 和
(4) A. 当　　　　　　　B. 从　　　　　　　C. 在
(5) A. 遍　　　　　　　B. 次　　　　　　　C. 道
(6) A. 完　　　　　　　B. 好　　　　　　　C. 到

汉字练习　Chinese Characters

一　根据拼音写汉字。Write Chinese characters according to *pinyin*.

diànyǐngyuàn　　　zìmù　　　yǐqián　　　liǎojiě

二　选择正确的汉字。Choose the correct Chinese characters.

1. 这个周_____你有空儿吗？　　　（未　末）
2. 每个生词写一_____。　　　　　（遍　偏）
3. 北京是中国的_____都。　　　　（首　前）
4. 我对历_____特别感兴趣。　　　（更　史）
5. 我想参_____天安门广场。　　　（观　现）

三 根据拼音，用所给的部件组成新字，然后填入后面的句子中。Compose new Chinese characters by *pinyin and* the given components. Then complete the sentences with them.

例：

部件一	夕
部件二	夕
拼音	duō

你练书法练了（ 多 ）长时间？

部件一	冫	牛	辶	穴
部件二	欠	寺	寸	工
拼音	cì	tè	guò	kòng

1. 你去（   ）王府井吗？
2. 这是我第一（   ）来中国。
3. 我（   ）别喜欢打篮球。
4. 明天我没（   ）儿。

四 填入汉字，使上下左右均能连成句子。Fill in the blanks to form sentences.

```
                      一
              直        请        第
              往        你        一
上  海  我  以  □   去  □   一  □
              走        来        去
              我                  看
中  国  的  首  □   是  北  □
              会                  剧
```

你以前看过中国电影吗？如果看过，请介绍一部你看过的中国电影；如果没有看过，可以请你的中国朋友或老师给你推荐一部，看完以后，介绍一下这部电影的内容。

电影的名字	
导演	
主要演员	
配音（中文/英文）	
有无中英文字幕	
主要情节	

第28课 今天我请客

语法练习　Grammar

一 看图和拼音，把词语填写完整。Complete the words according to the pictures and *pinyin*.

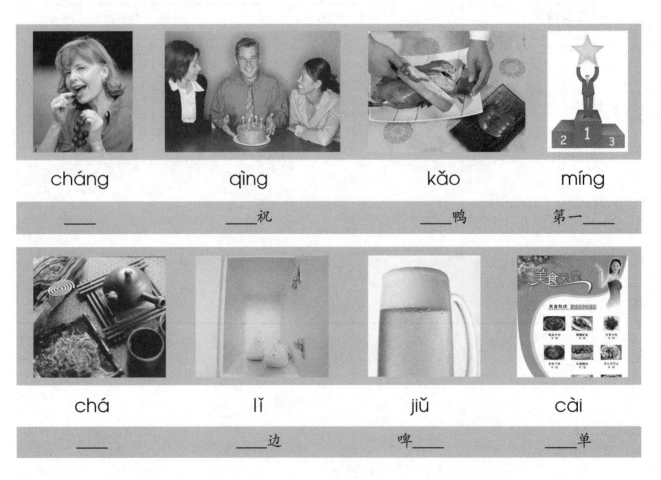

cháng　　　qìng　　　kǎo　　　míng

＿＿＿　　　＿＿祝　　　＿＿鸭　　　第一＿＿

chá　　　lǐ　　　jiǔ　　　cài

＿＿＿　　　＿＿边　　　啤＿＿　　　＿＿单

二 选词填空。Fill in the blanks with the appropriate words.

段　嘛　点　马上　AA制

1. 请稍等一会儿，我＿＿＿＿＿就到。

2. 今天我请客，咱们就别_____了。

3. 这_____时间我忙死了。

4. 我想_____个鱼香肉丝。

5. 我们是朋友_____，别客气！

三　完成下面的题目。Complete the following exercises.

1. 把下面两组词语连接在一起。Match the words of the two columns.

A	B
得了	稍等
怎么	第一名
请	菜
喝点儿	好意思呢
特色	茶

（得了连第一名；怎么连好意思呢）

2. 选择题1中组成的短语写入下面的句子中。Fill in the blanks with the phrases from the above exercise.

(1) _____，我马上就来。

(2) 这次考试我_____。

(3) 你请客，那我_____？

(4) 我不要啤酒，我想_____。

(5) 你在中国吃过什么_____吗？

四　把括号中的词语填入合适的位置。Put the words into the appropriate places.

1. 你A吃B京酱肉丝C吗？　　　　　　　　（过）

2. A这样B能C学好汉语呢？　　　　　　　（怎么）

3. A你的汉语B说得C流利的。　　　　　　（挺）

4. A再B一碗鸡蛋汤C吧！　　　　　　　　（来）

5. 来得A晚了B一点儿C。　　　　　　　　（稍）

五　仿照例句，用所给的词语改写句子。Follow the example and rewrite the sentences with the given words.

例：我喜欢的运动有很多。

　　 <u>我喜欢的运动可多了。</u>　　　　　　　（可）

1. 她不会说汉语。

   _____?   （怎么）

2. 小区的环境还可以。

   _____!   （嘛）

3. 这本词典很便宜。

   _____。   （挺）

4. 再要个汤吧!

   _____。   （来）

5. 请等一会儿。

   _____。   （稍）

六   选择正确的答案。Choose the appropriate alternatives.

1. 你的书法写得不错_____!
   A. 吗
   B. 嘛
   C. 吧

2. 你_____会不认识他呢?
   A. 怎样
   B. 什么
   C. 怎么

3. 这双鞋_____合适的。
   A. 挺
   B. 正
   C. 太

4. 明天下午咱们_____场比赛,怎么样?
   A. 有
   B. 来
   C. 去

5. 今天吃饭我们_____吧。
   A. A制
   B. AA制
   C. BB制

6. 下面哪句话是不正确的? _____
   A. 我们再点个汤吧!
   B. 我们再来个汤吧!
   C. 我们再用个汤吧!

七   选择正确的问句或答句。Choose the appropriate questions or answers.

1. A:我去图书馆,顺便帮你还书吧!
   B:_____?
   □ 那怎么好意思呢
   □ 那怎么去图书馆呢

2. A:李明日语怎么说得那么流利?
   B:_____。
   □ 他学过嘛
   □ 他学过吗

3. A:你们来点儿什么?
   B:_____。
   □ 我们来上课
   □ 给我们来个烤鸭吧

4. A:你们喝点儿什么?
   B:_____。
   □ 来点儿啤酒吧
   □ 来点儿饺子吧

5. A：你喜欢什么运动？
   B：_____。
   □ 我挺喜欢打球的
   □ 我挺喜欢听流行歌曲的

八 将下列词语组成句子。Make up sentences with the following words.

例：吗 可以 我 试试
   我可以试试吗？

1. 得 比赛 第一名 我 了 这次 网球
   _____。
2. 意思 好 呢 怎么 那
   _____？
3. 点儿 什么 吃 你们
   _____？
4. 什么 吗 你们 特色 这儿 菜 有
   _____？
5. 可乐 来 瓶 也 吧 我
   _____！

九 根据所给的词语，把下列对话填写完整。Complete the dialogue with the given words.

马克：_____？（V+过）
惠美：我没吃过北京烤鸭。
马克：我也没吃过。那咱们一起去尝尝吧！
……
马克：服务员，我们_____。（点）
服务员：还要什么别的吗？
惠美：除了北京烤鸭以外，_____？（特色菜）
服务员：我们这儿的京酱肉丝、麻婆豆腐什么的，都挺不错的。
惠美：好吧。_____！（来）
服务员：_____？（什么）
马克：我们喝点儿啤酒吧！
服务员：请稍等。马上就来。

十 完形填空。Cloze.

1. 卡伦这次演讲比赛得了第一(1)_____，她今天很高兴。这(2)_____时间惠美(3)_____

了卡伦很多帮助，卡伦今天想请客，好好儿谢谢她。惠美觉得很(4)_____。她觉得大家都是朋友，卡伦(5)_____客气了。她们都没吃过北京烤鸭，晚上六点半在烤鸭店(6)_____，准备好好庆祝一下儿。

(1) A. 个　　　　　　　B. 名　　　　　　　C. 次
(2) A. 段　　　　　　　B. 个　　　　　　　C. 多
(3) A. 帮　　　　　　　B. 给　　　　　　　C. 带
(4) A. 有意思　　　　　B. 没意思　　　　　C. 不好意思
(5) A. 很　　　　　　　B. 太　　　　　　　C. 可
(6) A. 看见　　　　　　B. 见面　　　　　　C. 见到

2. 　　马克和张华一起去饭馆儿（restaurant）吃饭。服务员(1)_____菜单拿给他们。马克想喝啤酒，张华想喝茶。服务员说，这里的(2)_____菜有鱼香肉丝、京酱肉丝、麻婆豆腐(3)_____，都(4)_____不错的。马克(5)_____了京酱肉丝和麻婆豆腐，张华要了一个酸辣汤。张华想(6)_____，可是马克说，今天他请客。

(1) A. 把　　　　　　　B. 看　　　　　　　C. 来
(2) A. 流行　　　　　　B. 特色　　　　　　C. 特别
(3) A. 怎么　　　　　　B. 什么　　　　　　C. 什么的
(4) A. 真　　　　　　　B. 挺　　　　　　　C. 很
(5) A. 找　　　　　　　B. 买　　　　　　　C. 点
(6) A. AA制　　　　　　B. 打折　　　　　　C. 便宜

汉字练习　Chinese Characters

一　根据拼音写汉字。Write Chinese characters according to *pinyin*.

qǐngkè　　　　jiànmiàn　　　　mǎshàng　　　　diǎncài

二　选择正确的汉字。Choose the correct Chinese characters.

1. 这儿的特色菜是北京_____鸭。　（考　烤）
2. 咱们好好儿_____祝一下儿。　（庆　床）
3. 我想喝点儿_____。　（茶　茶）

4. 走的时候请把_____关了。 （订 灯）

5. _____一下这个菜怎么样？ （尝 常）

三 根据拼音，用所给的部件组成新字，然后填入后面的句子中。Compose new Chinese characters by *pinyin and* the given components. Then complete the sentences with them.

例：

部件一	夕
部件二	夕
拼音	duō

你练书法练了（ 多 ）长时间？

部件一	扌	广	口	⺾	禾
部件二	廷	占	麻	采	肖
拼音	tǐng	diàn	ma	cài	shāo

1. 我们是朋友（　　）。

2. 下午我去书（　　），你去不去？

3. 请（　　）等，马上就来。

4. 这部电影（　　）不错的。

5. 你们这儿有什么特色（　　）吗？

四 填入汉字，使上下左右均能连成句子。Fill in the blanks to form sentences.

今	天	我		客
		过		
给	我	们		个	汤	吧
	想			
你	们	喝		儿	什	么
	烤			
	鸭			

约两位同学一起去一家中国饭馆儿尝尝中国的特色菜。但是，你们三个人中，一人不能吃辣（hot and spicy）的，一人不吃牛肉(beef)，一人不能吃海鲜(seafood)。还有，你们的钱也不多，一共只有150元。你看你们应该点什么菜？点几个菜够吃？

写下这家饭馆儿的名字、你们所点菜的菜名、钱数，以及人均消费(per capita consumption)。同时比较一下，中国菜和你们国家的菜有什么不同，付钱的方式一样吗？

1. 饭馆名字：_____
2. 菜名及钱数

   凉菜：_____   肉菜：_____

   素菜：_____   汤：_____

   饮品：_____   主食：_____

3. 人均消费：_____元
4. 中国菜和你们国家的菜相比较

   中国菜：_____

   你们国家的菜：_____

   _____

5. 付款方式

   中国：_____

   你们国家：_____

第29课 咱们带一束花去吧

语法练习 Grammar

一 看图和拼音，把词语填写完整。Complete the words according to the pictures and *pinyin*.

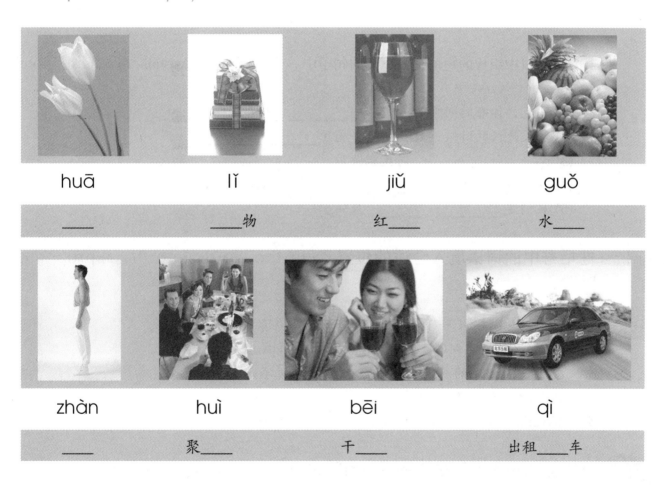

huā	lǐ	jiǔ	guǒ
＿＿＿	＿＿＿物	红＿＿＿	水＿＿＿

zhàn	huì	bēi	qì
＿＿＿	聚＿＿＿	干＿＿＿	出租＿＿＿车

二 选词填空。Fill in the blanks with the appropriate words.

站　周　为了　该　玩儿

1. 妈妈和孩子在公园＿＿＿＿＿。

2. 别_____在那儿，快请坐吧！

3. 我不知道_____买什么。

4. 每_____一、三、五下午我都游泳。

5. _____减肥，她每天坚持跑步。

三 完成下面的题目。Complete the following exercises.

1. 把下面两组词语连接在一起。Match the words of the two columns.

一束　　　　　　　　你们

来我房间　　　　　　公共汽车

欢迎　　　　　　　　啤酒

两瓶　　　　　　　　玩儿

坐　　　　　　　　　花

2. 选择题1中组成的短语写入下面的句子中。Fill in the blanks with the phrases from the above exercise.

(1) 马克，你有时间吗？_____吧！

(2) 昨天晚饭的时候，我和安德鲁喝了_____。

(3) _____到我家做客。

(4) 卡伦病了，我们带_____去吧。

(5) 我们是_____来的。

四 把括号中的词语填入合适的位置。Put the words into the appropriate places.

1. 王老师A你B过去C一下儿。　　　　　　（请）

2. 晚上A我常常B上网C看电视。　　　　　（或者）

3. 我A坐飞机B来C的。　　　　　　　　　（不是）

4. A惠美B你C帮她还书。　　　　　　　　（让）

5. 她A就B到C了。　　　　　　　　　　　（早）

五 把下面的句子改写成"是……的"句型。Rewrite the following sentences using "是……的".

1. 我去年来中国。

_____。

2. 我从美国来。

_____。

3. 他坐飞机去上海。

　　_____。

4. 我来学习汉语。

　　_____。

5. 你什么时候开始学汉语?

　　_____?

六 选择正确的答案。Choose the appropriate alternatives.

1. 我想吃点儿面条_____饺子什么的。
   - A. 还是
   - B. 可是
   - C. 或者

2. 你怎么才来? _____上课了。
   - A. 才
   - B. 都
   - C. 就

3. _____卡伦得了第一名干杯!
   - A. 为
   - B. 给
   - C. 对

4. 我是在电影院看_____电影。
   - A. 了
   - B. 的
   - C. 过

5. 他_____一些水果来了。
   - A. 带
   - B. 跟
   - C. 有

6. 作业_____就写完了。
   - A. 早
   - B. 晚
   - C. 刚

七 选择正确的问句或答句。Choose the appropriate questions or answers.

1. A: _____?
   B: 喝茶吧!
   □ 你喝茶还是喝咖啡
   □ 你喝茶或者喝咖啡

2. A: 你们是怎么来的?
   B: _____。
   □ 我十点来的
   □ 我是坐公共汽车来的

3. A: 你们什么时候到的?
   B: _____。
   □ 我们六点半到
   □ 我们六点半就到了

4. A: _____。
   B: 干杯。
   □ 让我们为这次聚会干杯
   □ 请我们为这次聚会干杯

5. A：周末张华请咱们去她家做客。

B：_____。

☐ 咱们带一些水果去吧

☐ 咱们带一些水果来吧

八 将下列词语组成句子。Make up sentences with the following words.

例：吗 可以 我 试试

我可以试试吗？

1. 生词 我们 让 预习 老师

_____。

2. 我的 欢迎 来 你们 宿舍 玩儿

_____。

3. 时候 是 到 什么 的 你们

_____？

4. 就 她 早 了 来

_____。

5. 礼物 好 带 咱们 去 呢 什么

_____？

九 根据所给的词语，把下列对话填写完整。Complete the dialogue with the given words.

李明：对不起，我来晚了。

惠美：_____？　　　（怎么）

李明：路上堵车。真不好意思。

惠美：看看时间，_____。　　（都）

李明：_____？　　　（是……的）

惠美：我六点半到的。

李明：_____？　　　（是……的）

惠美：不是，我是坐公共汽车来的。

李明：_____？　　　（多长时间）

惠美：从我家到这儿只用二十多分钟就能到。

李明：你家比我家近（near）多了。平时我要一个小时才能到。

十 完形填空。Cloze.

1.　　　这个周六张华请我和卡伦去她家做客。我们以前都没去(1)_____中国人家，这是第一(2)_____，不知道(3)_____带什么礼物去好。安德鲁和马克(4)_____去张华家。他俩准备带一瓶红酒去，我们不能再带酒了。在我们(5)_____，去别人家做客的时候可以带一束花，或者一(6)_____水果，我们准备带一束花去。

(1) A. 过　　　　　　　　B. 了　　　　　　　　C. 的

(2) A. 遍　　　　　　　　B. 次　　　　　　　　C. 个

(3) A. 能　　　　　　　　B. 会　　　　　　　　C. 该

(4) A. 都　　　　　　　　B. 再　　　　　　　　C. 也

(5) A. 国　　　　　　　　B. 国家　　　　　　　C. 国际

(6) A. 个　　　　　　　　B. 些　　　　　　　　C. 种

2. 　　我和卡伦六点半(1)_____到张华家了。我们是坐公共汽车去(2)_____。马克他们坐出租汽车，路上(3)_____了，他们七点多(4)_____到。张华(5)_____欢迎我们，做了很多菜。

(1) A. 早　　　　　　　　B. 就　　　　　　　　C. 才

(2) A. 的　　　　　　　　B. 了　　　　　　　　C. 过

(3) A. 坐车　　　　　　　B. 等车　　　　　　　C. 堵车

(4) A. 都　　　　　　　　B. 就　　　　　　　　C. 才

(5) A. 对　　　　　　　　B. 要　　　　　　　　C. 为了

汉字练习　Chinese Characters

一　　根据拼音写汉字。Write Chinese characters according to *pinyin*.

guójiā　　　　　　biérén　　　　　　huòzhě　　　　　　wánr

二　　选择正确的汉字。Choose the correct Chinese characters.

1. 欢迎你们来我家做_____。　　　　（容　客）
2. 咱们带一_____水果去吧。　　　　（些　此）
3. 不知道_____买什么好。　　　　　（该　刻）
4. _____八点多了，怎么她还没来？　（者　都）
5. 让我们_____这次聚会干杯！　　　（为　办）

三 根据拼音，用所给的部件组成新字，然后填入后面的句子中。Compose new Chinese characters by *pinyin and* the given components. Then complete the sentences with them.

例：

部件一	夕
部件二	夕
拼音	duō

你练书法练了（ 多 ）长时间？

部件一	艹	口	i	礻
部件二	化	玉	上	ㄥ
拼音	huā	guó	ràng	lǐ

1. 我们带什么（   ）物去好呢？
2. 现在在我的（   ）家，很多人都学汉语。
3. 卡伦（   ）你等她一会儿。
4. 他给我买了一束（   ）。

四 填入汉字，使上下左右均能连成句子。Fill in the blanks to form sentences.

		今			在		
		天			教		
我		我			室		
出		她		我		电	影
	她	家		客		书	
一		了					
下		很					
儿		多					
		菜					

在下面的情况下，你会送什么礼物？请你写一下送这些礼物的原因。然后问几个中国人，看看中国人送礼物的习惯会有什么不同。

	礼物	选择的原因	中国人会送的礼物
父母过生日			
朋友过生日			
朋友结婚（marriage）			
朋友搬家(moving house)			

第30课 以后再说吧

语法练习 Grammar

一 看图和拼音，把词语填写完整。Complete the words according to the pictures and *pinyin*.

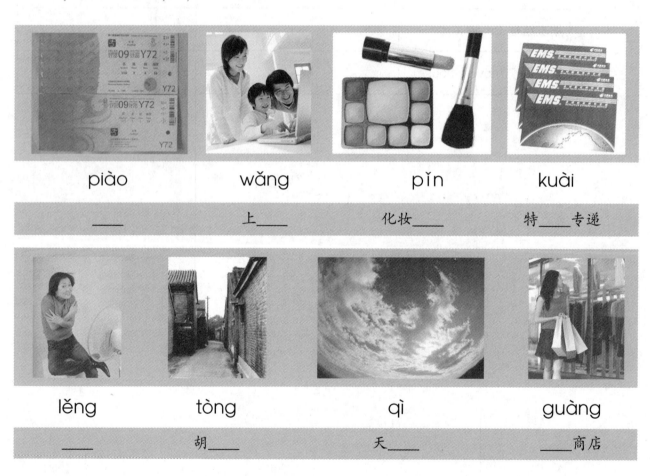

piào	wǎng	pǐn	kuài
＿＿＿	上＿＿＿	化妆＿＿＿	特＿＿＿专递

lěng	tòng	qì	guàng
＿＿＿	胡＿＿＿	天＿＿＿	＿＿＿商店

二 选词填空。Fill in the blanks with the appropriate words.

> 巧　懒　一定　明白　东西

1. 下次上课以前我＿＿＿＿预习好生词。

2. 真不_____，她刚出去。

3. 你怎么还不起床？你太_____了。

4. 你想买什么_____？

5. 我_____这个词的意思了。

三 完成下面的题目。Complete the following exercises.

1. 把下面两组词语连接在一起。Match the words of the two columns.

以后   我
逛   网上
太   胡同
在   再说
相信   可惜

2. 选择题1中组成的短语写入下面的句子中。Fill in the blanks with the phrases from the above exercise.

(1) 在北京_____很有意思。

(2) 我_____买了几本书。

(3) 今天我没时间，_____吧！

(4) 你不跟我们一起去看京剧真是_____了。

(5) _____吧！你真的得了第一名。

四 把括号中的词语填入合适的位置。Put the words into the appropriate places.

1. 我A吃B完C这些菜。   （得）

2. 晚上七点以前A我B回C来。   （不）

3. 对不起，今天我有事A，B去不C。   （了）

4. 你A想B去C逛逛？   （哪儿）

5. 为什么A不B我C进去？   （让）

五 用适当的词语完成句子。Complete the sentences with proper words.

例：A：你看得懂看不懂京剧？
    B：我看不懂京剧。

1. 你说得太快，我_____不懂。

2. 字写得太小，我_____不见。

第30课 以后再说吧 37

3. 这些菜不太多，我_____得完。

4. A：今天的作业你_____得完_____不完？

   B：作业不太多，我_____得完。

5. A：明天我们去参观博物馆，你_____得了_____不了？

   B：明天我没时间，_____不了。

六　选择正确的答案。Choose the appropriate alternatives.

1. 刚来北京的时候，_____都想去。
   A. 那儿
   B. 哪儿
   C. 那里

2. 刚来中国的时候，我听不_____汉语。
   A. 完
   B. 见
   C. 懂

3. 这么多的书，你_____？
   A. 看得完看不完
   B. 看不完看得完
   C. 看得完看得不完

4. 要是我有时间，我就陪你去_____超市。
   A. 逛
   B. 看
   C. 玩

5. 妈妈不_____她喝可乐。
   A. 请
   B. 让
   C. 叫

6. 你不去，我_____不去了。
   A. 还
   B. 都
   C. 也

七　选择正确的问句或答句。Choose the appropriate questions or answers.

1. A：明天我们一起去张华家玩儿吧！

   B：对不起，_____。

   □ 我去不了

   □ 我来不了

2. A：_____？

   B：要是不忙的话，可能回得来。

   □ 晚上十点以前你回得来回不来

   □ 晚上十点以前你回来了吗

3. A：_____？

   B：今天天气不错，咱们出去逛逛。

   □ 为什么不让我起床

   □ 为什么不让我睡懒觉

4. A：你为什么不去看京剧？

   B：_____。

   □ 我不舒服，哪儿也没去过

   □ 我不舒服，哪儿都不想去

5. A：你今天有时间吗？我们一起吃饭吧！

　　B：_____。

　　☐ 我不想去

　　☐ 以后再说吧

八 仿照例句，把下列句子填写完整。Follow the example and complete the sentences.

例：欢迎你来<u>我家</u>玩儿。

　　欢迎你来<u>我的房间</u>玩儿。

1. 对不起，我<u>去</u>不了。

　　对不起，我_____不了。

2. 我要在宿舍<u>等特快专递</u>，哪儿也不能去。

　　我要在宿舍_____，哪儿也不能去。

3. 你不<u>去</u>，我也不<u>去</u>了。

　　你不_____，我也不_____了。

4. 为什么不让我<u>睡懒觉</u>？

　　为什么不让我_____？

5. <u>以后</u>再说吧！

　　_____再说吧！

九 根据所给的词语，把下列对话填写完整。Complete the dialogue with the given words.

安德鲁：惠美，咱们一起去看京剧吧！

惠美：　_____？（什么时候）

安德鲁：是今天晚上七点钟的。

惠美：　对不起，_____。（了）

安德鲁：为什么去不了？

惠美：　今天晚上有朋友来看我，我要在宿舍等他，_____。（哪儿）

安德鲁：真不巧。

惠美：　_____？（得）

安德鲁：我听不懂京剧，但是我看得懂。

惠美：　啊？为什么？

安德鲁：_____，但是有中文字幕啊！（虽然）

十　完形填空。Cloze.

1.　　马克买了两(1)_____足球比赛的票，想和张华一起去看。比赛是明天下午两点(2)_____。(3)_____真不巧，张华(4)_____，她要在宿舍等特快专递，哪儿(5)_____不能去。张华在网上买了几件化妆品，明天下午三点以前别人送来。张华不去，马克也不去了。马克想(6)_____票退了，真是太可惜了。

(1)　A. 个　　　　　　B. 张　　　　　　C. 件
(2)　A. 的　　　　　　B. 了　　　　　　C. 时
(3)　A. 虽然　　　　　B. 可是　　　　　C. 还是
(4)　A. 去不了　　　　B. 不去了　　　　C. 去得了
(5)　A. 又　　　　　　B. 还　　　　　　C. 也
(6)　A. 给　　　　　　B. 把　　　　　　C. 让

2.　　周末的早上，马克的同屋让他(1)_____睡懒觉了，早点儿起床。想和他一起去逛逛北京的胡同。以前马克说过，要去(2)_____北京的胡同的，可是今天马克(3)_____都不想去，他觉得天气太(4)_____了，冬天逛胡同，就像是(5)_____玩笑。他对同屋说："以后再说吧！"马克(6)_____这样对同屋说，同屋不知道这次该不该相信他。

(1)　A. 不　　　　　　B. 没　　　　　　C. 别
(2)　A. 参观　　　　　B. 参加　　　　　C. 光临
(3)　A. 什么　　　　　B. 哪儿　　　　　C. 那儿
(4)　A. 冷　　　　　　B. 凉　　　　　　C. 好
(5)　A. 说　　　　　　B. 讲　　　　　　C. 开
(6)　A. 总　　　　　　B. 为　　　　　　C. 当

汉字练习　Chinese Characters

一　根据拼音写汉字。Write Chinese characters according to *pinyin*.

dōngxi　　　míngbai　　　yídìng　　　xiāngxìn

二　选择正确的汉字。Choose the correct Chinese characters.

1. 我买了两张电影_____。　　　　（票　要）
2. 马克在_____上买了几本书。　　（网　肉）
3. 你明_____这个词的意思吗?　　　（百　白）
4. 我很忙,以后_____说吧。　　　　（再　在）
5. 要是你不去看比赛,就太可_____了。（借　惜）

三　用所给的汉字组词。Compose words with the given Chinese characters.

例：客（做客）（请客）

天（　　）（　　）　　　明（　　）（　　）

哪（　　）（　　）　　　可（　　）（　　）

四　根据拼音,用所给的部件组成新字,然后填入后面的句子中。Compose
new Chinese characters by *pinyin and* the given components. Then
complete the sentences with them.

例：

部件一	夕
部件二	夕
拼音	duō

你练书法练了（ 多 ）长时间?

部件一	忄	牛	冫	辶
部件二	赖	寺	令	关
拼音	lǎn	tè	lěng	sòng

1. 咱们给她（　　）什么礼物好呢?
2. 我要等（　　）快专递,哪儿也不能去。
3. 今天是周末,我想睡个（　　）觉。
4. 今天太（　　）了,我不想去逛街。

你喜欢在网上买东西吗？你一般喜欢在网上买什么？你认为在网上买东西有什么优点和缺点？介绍一次你在网上买东西的经历。介绍几个你最熟悉最喜欢的网站给你的同学。

_____

_____

_____

_____

_____

_____

第31课 咱们布置一下儿房间吧

语法练习 Grammar

一 看图和拼音，把词语填写完整。Complete the words according to the pictures and *pinyin*.

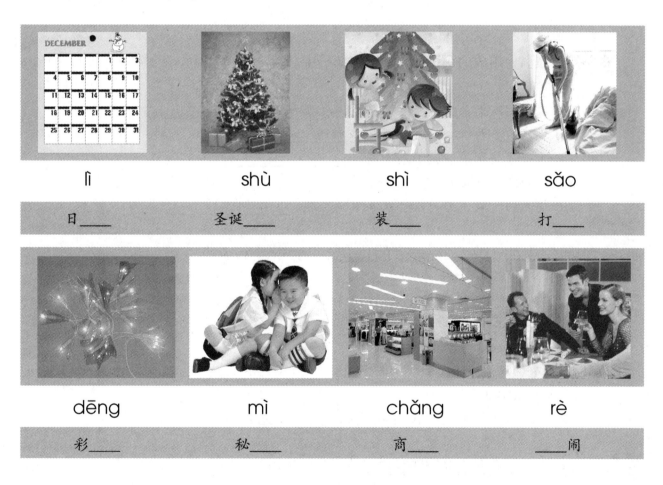

lì	shù	shì	sǎo
日___	圣诞___	装___	打___

dēng	mì	chǎng	rè
彩___	秘___	商___	___闹

二 选词填空。Fill in the blanks with the appropriate words.

> 放假　已经　不过　着急　要不

1. 别_____，还有十分钟才上课。

2. 卡伦_____回家了。

3. 我们_____以后一起去上海旅行吧!

4. 太晚了,_____我们明天再说吧!

5. 我很喜欢看网球比赛,_____不喜欢打。

三   完成下面的题目。Complete the following exercises.

1. 把下面两组词语连接在一起。Match the words of the two columns.

过　　　　　　　　　　房间

布置　　　　　　　　　商场

一顶　　　　　　　　　圣诞树

逛　　　　　　　　　　春节

一棵　　　　　　　　　帽子

2. 选择题1中组成的短语写入下面的句子中。Fill in the blanks with the phrases from the above exercise.

(1) 我请朋友们来我家一起过春节,现在正在_____呢!

(2) 北京的冬天很冷,我还想买_____。

(3) 平安夜要到了,我们先去买_____吧!

(4) 张华请我去她家_____。

(5) 周末的时候,惠美最喜欢和卡伦一起_____了。

四   把括号中的词语填入合适的位置。Put the words into the appropriate places.

1. 电影A马上B要C开始了。　　　　　　　　　(就)

2. 我租房子A是B考虑环境C。　　　　　　　　(主要)

3. 安德鲁的汉语水平A跟B卡伦C。　　　　　　(差不多)

4. 我A做完B作业C了。　　　　　　　　　　　(已经)

5. 老师A让我们B预习生词C再看课文。　　　　(先)

五   仿造例句,用所给的词语完成句子。Follow the example and complete the sentences with the given words.

例:要是我有时间的话,我就陪你一起去。　　(要是……)

1. 下课以后,我_____。　(先……再……然后)

2. 明天是周末,_____。　　(要不)

3. 快起床吧，＿＿＿＿＿＿＿＿＿＿！　　　（要……了）

4. 马克的口语很流利，＿＿＿＿＿＿＿＿＿。　（不过）

5. 张华请我们去她家做客，＿＿＿＿＿＿＿＿？（……好呢）

六　选择正确的答案。Choose the appropriate alternatives.

1. 马克在北京住了＿＿＿＿半年了。
   A. 差得多
   B. 差不多
   C. 差很多

2. 我们下个月＿＿＿＿放假了。
   A. 要
   B. 快要
   C. 就要

3. 天气不太冷，＿＿＿＿，我们去逛胡同吧!
   A. 要不
   B. 不要
   C. 要是

4. 一直往前走，＿＿＿＿到十字路口往右拐。
   A. 以后
   B. 然后
   C. 以前

5. 我很喜欢打网球，＿＿＿＿我打得不太好。
   A. 还是
   B. 或者
   C. 不过

七　选择正确的问句或答句。Choose the appropriate questions or answers.

1. A: 时间过得真快，＿＿＿＿。
   B: 是啊，离放假只有一个月了。
   □ 快要放假了
   □ 放假快要到了

2. A: 这次考试你考得怎么样?
   B: ＿＿＿＿。
   □ 我的听力跟语法差不多不太好
   □ 我的听力跟语法差不多，都不太好

3. A: 圣诞节你想怎么过?
   B: ＿＿＿＿。
   □ 我想叫来朋友，大家一起热闹
   □ 我想把朋友都叫来，大家一起热闹热闹

4. A: ＿＿＿＿?
   B: 我在想该怎么布置房间。
   □ 你在想什么
   □ 你布置房间吗

5. A: 第一次去张华家，带什么礼物去好呢?
   B: ＿＿＿＿。
   □ 带一束花吧，不过，带一些水果去
   □ 带一束花吧，要不，带一些水果去

用"跟……差不多"回答问题。Answer the following questions with "跟……差不多".

1. 你的朋友多大了？

    _____

2. 北京的天气怎么样？

    _____

3. 他汉语说得怎么样？

    _____

4. 这次考试难不难？

    _____

5. 食堂的饭菜好吃不好吃？

    _____

九 根据所给的词语，把下列对话填写完整。Complete the dialogue with the given words.

马克：_____，这次考试我应该好好准备。（快要……了）

惠美：_____？（多长时间）

马克：离考试只有一个星期了。你考完试了吗？

惠美：我考得比你早，_____。（已经）

马克：我还有很多语法问题，你能帮助我吗？

惠美：我的汉语水平跟你差不多，_____。（不过）

马克：太谢谢了！我们什么时候见面？

惠美：我今天晚上有空，_____。（要不）

十 完形填空。Cloze.

1.　　时间过得真快，圣诞节快要到了，(1)_____圣诞节只有一个多星期了。今年的圣诞节是星期一。我们不放假。可是没关系，我们准备过平安夜。圣诞节(2)_____是过平安夜，跟中国的春节(3)_____，中国的春节主要是过除夕。这个周末我们想先(4)_____一下儿房间，(5)_____还得好好儿布置一下儿，(6)_____买圣诞树、蜡烛和小彩灯，然后(7)_____圣诞树装饰一下儿。还要准备圣诞礼物。我们想请朋友们过来，大家一起热闹热闹。

(1) A. 和　　　　　　　B. 跟　　　　　　　C. 离

(2) A. 要紧　　　　　　B. 主要　　　　　　C. 要

(3) A. 差不多　　　　　B. 不一样　　　　　C. 没问题

(4) A. 打开　　　　　　B. 关上　　　　　　C. 打扫

(5) A. 当然   B. 虽然   C. 不然

(6) A. 又   B. 再   C. 更

(7) A. 为   B. 把   C. 帮

2.   后天(1)_____圣诞节了，可是我还没想好送给卡伦什么礼物。马克都(2)_____买好了，他给卡伦买了一顶帽子。(3)_____他不告诉我给张华的礼物是什么，说这是一个(4)_____。马克说，我可以先去商场看看，可是我最不喜欢(5)_____商店了。听说张华也要买圣诞礼物，可以请她帮我(6)_____一下。

(1) A. 快要   B. 就是   C. 要是

(2) A. 已经   B. 主要   C. 可能

(3) A. 要不   B. 要是   C. 不过

(4) A. 密码   B. 号码   C. 秘密

(5) A. 看   B. 逛   C. 玩

(6) A. 参观   B. 参谋   C. 参加

汉字练习   Chinese Characters

一   根据拼音写汉字。Write Chinese characters according to *pinyin*.

bùzhì   màozi   zháojí   guàng jiē

二   选择正确的汉字。Choose the correct Chinese characters.

1. 这是秘_____，我不能告诉你。   (蜜   密)

2. 先去买一_____圣诞树吧！   (棵   颗)

3. 你们什么时候_____假？   (方   放)

4. 我的房间和你的房间_____不多大。   (差   差)

5. 马克_____经出发了。   (己   已)

三 用所给的汉字组词。Compose words with the given Chinese characters.

例：客（做客）（请客）

后（　　）（　　）　　　年（　　）（　　）

参（　　）（　　）　　　场（　　）（　　）

四 根据拼音，用所给的部件组成新字，然后填入后面的句子中。Compose new Chinese characters by *pinyin and* the given components. Then complete the sentences with them.

例：

部件一	夕
部件二	夕
拼音	duō

你练书法练了（ 多 ）长时间？

部件一	火	讠	西	辶
部件二	虫	某	女	寸
拼音	zhú	móu	yào	guò

1. 我觉得汉语主（　　）是声调和汉字太难了。
2. 我想买一些蜡（　　）和彩灯。
3. 我想买双皮鞋，你帮我参（　　）一下儿好吗？
4. 我可以陪你一起去，不（　　）三点以前我得回来。

任务　Task

向你的老师或者中国朋友了解一下中国的传统节日。在这些节日里中国人做什么？用你的话写出三个中国传统节日的特点和庆祝活动。

	中国传统节日	特　点	庆祝活动
1			
2			
3			

第32课　寒假你有什么打算

语法练习　Grammar

一　看图和拼音，把词语填写完整。Complete the words according to the pictures and *pinyin*.

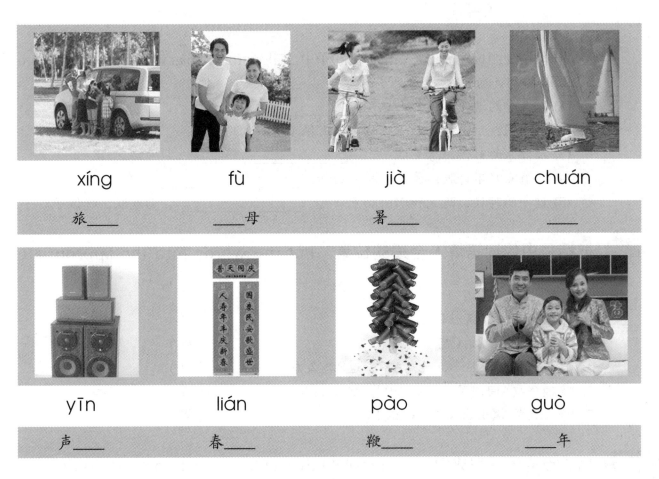

xíng	fù	jià	chuán
旅＿＿	＿＿母	暑＿＿	＿＿

yīn	lián	pào	guò
声＿＿	春＿＿	鞭＿＿	＿＿年

二　选词填空。Fill in the blanks with the appropriate words.

> 打算　够　羡慕　时　提高

1. 你汉语说得真流利，我真＿＿＿＿＿你。

2. 多和中国人聊天可以_____口语。

3. 这次考试时间不_____，我没有做完。

4. 下次上课_____请大家把作业带来。

5. 周末你_____干什么？

三 完成下面的题目。Complete the following exercises.

1. 把下面两组词语连接在一起。Match the words of the two columns.

身体	往北
从南	鞭炮
想念	父母
放	差不多了
忘得	受不了

2. 选择题1中组成的短语写入下面的句子中。Fill in the blanks with the phrases from the above exercise.

(1) 以前学的汉字，我都_____。

(2) 在中国，_____，有很多好玩的地方。

(3) 在北京的时候，惠美很_____。

(4) 我有点儿不舒服，要是去游泳的话，_____。

(5) 过年的时候，马克和中国朋友一起_____、贴春联，吃饺子。

四 把括号中的词语填入合适的位置。Put the words into the appropriate places.

1. 卡伦汉字A写B又快C又准。 （得）

2. 马克看A球赛B看C忘了时间。 （得）

3. 惠美找不到护照了，她急A不知道B怎么办C好。 （得）

4. 安德鲁要A回国了，他高兴B马上C告诉了父母。 （得）

5. 今天天气A冷B让人不想C出去。 （得）

五 用适当的词语完成句子。Complete the sentences with proper words.

例：我还没<u>看</u>过这部电影呢。

1. 卡伦还没_____过北京烤鸭呢。

2. 我还没_____过筷子呢。

3. 安德鲁还没_____过历史博物馆呢。

4. 张华还没_____过乒乓球呢。

5. 我还没_____过京剧呢。

六 选择正确的答案。Choose the appropriate alternatives.

1. 在食堂吃饭_____方便_____便宜。
   A. 又……又……
   B. 一边……一边……
   C. 先……再……

2. 明天是周末，你不上课_____?
   A. 呢
   B. 吗
   C. 吧

3. 我_____没看过这部电影呢。
   A. 总
   B. 还
   C. 都

4. 今天王老师忙_____没时间休息。
   A. 的
   B. 了
   C. 得

5. 这么多的课，我真的有些_____。
   A. 受得住
   B. 受得了
   C. 受不了

6. 我们先打扫房间，再布置房间，然后去买礼物，_____请朋友们过来。
   A. 最后
   B. 以后
   C. 后边

七 选择正确的问句或答句。Choose the appropriate questions or answers.

1. A: _____?
   B: 请稍等，我去叫他。
   □ 喂，是马克吗
   □ 我找马克，你是谁

2. A: 这件毛衣我怎么没见过，____?
   B: 是啊，我昨天刚买的。
   □ 是新买的吧
   □ 什么时候买的

3. A: 你的汉语水平提高得很快啊!
   B: _____。
   □ 好的
   □ 哪里，还差得远呢

4. A: 你圣诞节在中国过得怎么样?
   B: 非常好，_____。
   □ 我们像买彩灯，装饰圣诞树，布置房间，可热闹了
   □ 我们买彩灯、装饰圣诞树、布置房间什么的，可热闹了

5. A: 昨天的电影怎么样?
   B: _____。
   □ 昨天的电影又长又没意思
   □ 昨天的电影一边长一边没意思

八 仿照例句，用所给的词语完成句子。Follow the example and complete the sentences with the given words.

例：要是我有时间的话，我就陪你一起去。（要是……）

1. 我的发音不太好，我_____。（打算）
2. _____，真想现在就见到他们。（想念）
3. 吃完饭以后不要马上打球，你_____。（最好）
4. 听说中国菜_____，我们一起去尝尝吧！　（又……又……）
5. 我喜欢运动，周末的时候，_____，可有意思了。（……什么的）

九 根据所给的词语，把下列对话填写完整。Complete the dialogue with the given words.

（安德鲁正在给卡伦打电话）
安德鲁：喂，_____？（是……吗）
卡伦：　是，我是卡伦。
安德鲁：我是安德鲁，_____？（最近）
卡伦：　我最近很好。你呢？
安德鲁：我也很好。_____，我打算后天回中国。你的寒假过得怎么样？（快要……了）
卡伦：　非常好，我在中国旅行，去了很多好地方。_____，我都去了。（像……什么的）
安德鲁：_____！（还没……呢）
卡伦：　没关系，回来以后，你好好计划一下儿，暑假再去吧！

十 完形填空。Cloze.

1.　　下周就要放寒假(1)____。安德鲁打算回国看父母，他很想念他们。我(2)____想回国，又想去旅行。可是我更喜欢旅行。中国有那么多好地方，我(3)____没去过呢。我想先坐飞机到香港，再从南往北，去深圳、广州，然后去南京、上海，(4)____从上海坐船去天津，(5)____天津回北京。当然，去这么多城市，我的身体也受不了。还有，时间也不够，回来后我还要打工。安德鲁(6)____我别一次去那么多地方，他说最好能在春节前(7)____北京，在北京(8)____春节。我应该再好好儿计划一下。

(1) A. 的　　　　　　　B. 了　　　　　　　C. 得
(2) A. 又　　　　　　　B. 要　　　　　　　C. 一边
(3) A. 也　　　　　　　B. 总　　　　　　　C. 还

(4) A. 以后   B. 以外   C. 最后

(5) A. 在   B. 从   C. 离

(6) A. 说   B. 问   C. 让

(7) A. 回来   B. 回去   C. 回到

(8) A. 过   B. 放   C. 有

2. 　　这个寒假我是在张华家过(1)＿＿＿春节。这是我第一(2)＿＿＿在中国人家里过年。过年的时候，我们放鞭炮、(3)＿＿＿春联、看春节晚会、吃饺子什么的，(4)＿＿＿有意思了。春节时去(5)＿＿＿都能遇到中国人，说汉语的机会很多，我的汉语水平也提高(6)＿＿＿很快。安德鲁回国了，他很羡慕我，他(7)＿＿＿明年也在北京过春节。

(1) A. 的   B. 了   C. 得

(2) A. 个   B. 次   C. 遍

(3) A. 打   B. 上   C. 贴

(4) A. 可   B. 很   C. 挺

(5) A. 那儿   B. 那里   C. 哪儿

(6) A. 了   B. 得   C. 的

(7) A. 打算   B. 打开   C. 打扫

汉字练习   Chinese Characters

一 根据拼音写汉字。Write Chinese characters according to *pinyin*.

dǎgōng   jìhuà   tígāo   xiànmù

二 选择正确的汉字。Choose the correct Chinese characters.

1. 这个寒假卡伦从南往＿＿＿＿＿，去了很多地方。 （比 北）

2. 今年＿＿＿＿＿假你有什么打算？ （暑 署）

3. 天气这么冷，我真＿＿＿＿＿不了。 （爱 受）

4. _____年我也想在中国过春节。　　　　　　（朋　明）
5. 张华请我去她家_____春节。　　　　　　　（过　还）
6. 我是坐_____去的上海。　　　　　　　　　（船　般）

三 用所给的汉字组词。Compose words with the given Chinese characters.

例：客（做客）（请客）

回（　　）（　　）　　　春（　　）（　　）

假（　　）（　　）　　　晚（　　）（　　）

四 根据拼音，用所给的部件组成新字，然后填入后面的句子中。Compose new Chinese characters by *pinyin* and the given components. Then complete the sentences with them.

例：

部件一	夕
部件二	夕
拼音	duō

你练书法练了（ 多 ）长时间？

部件一	立	彳	刂	忄	夂
部件二	日	亍	戈	相	方
拼音	yīn	xíng	huà	xiǎng	fàng

1. （　　）假了你打算做什么？
2. 我很想去上海旅（　　）。
3. 好久没听到你的声（　　）了。
4. 这个周末我们计（　　）去长城。
5. 我打算回国看父母，我很（　　）念他们。

1. 在下面的地图上填出卡伦计划旅行的城市：北京、香港、广州、南京、上海、天津，并按卡伦计划的线路把这些城市用线连起来。

2. 卡伦只有七天时间，去不了那么多的地方，请你联系一家旅行社，查询一下长途旅行的有关信息，帮卡伦做一个合适的旅行计划，包括时间安排、旅行线路和交通工具的选择。也可以根据具体情况，选择其它合适的旅游城市。

_____

_____

_____

_____

_____

_____

第33课 我一毕业就回国

语法练习　Grammar

一　看图和拼音，把词语填写完整。Complete the words according to the pictures and *pinyin*.

nán	huì	zhāng	yǔ
＿＿＿	舞＿＿	紧＿＿	＿＿言

liang	sōng	bì	jié
漂＿＿	放＿＿	＿＿业	＿＿婚

二　选词填空。Fill in the blanks with the appropriate words.

> 异同　安排　纠正　生活　留

1. 学日语可以帮助我在日本＿＿＿＿。

2. 老师常常_____我们的发音。

3. 下个周末你有什么_____吗？

4. 你了解汉英两种语言的_____吗？

5. 毕业以后我想_____在中国。

三 选择合适的词语，并用"什么"完成句子。Choose the proper words and use "什么" to fill in the blanks.

| 吃饭　结婚　逛街　减肥 |

1. _____，我还是学生呢。

2. 都晚上十点了，_____。

3. 你这么瘦，_____。

4. _____，我最不喜欢逛街了。

四 把括号中的词语填入合适的位置。Put the words into the appropriate places.

1. A安德鲁B会C游泳，而且游得很不错。　　（不但）

2. 我A打算B下课C就去食堂。　　（一）

3. 你A想B买什么C买什么。　　（就）

4. 这些菜A都B为你C准备的，多吃点吧。　　（是）

5. 他的房间A打扫B干干净净的C。　　（得）

五 用"得"或"的"填空。Fill in the blanks with "得" or "的".

1. 惠美汉字写_____很不错。

2. 除了游泳以外，我还喜欢打球、跑步什么_____。

3. 这部电影是中文_____吗？

4. 卡伦是坐出租车去_____王府井。

5. 时间过_____真快，快放假了。

6. 马克说汉语说_____跟中国人一样好。

六 用所给的词语完成句子。Complete the sentences with the given words.

1. 我不打算留在中国，我想_____。（一……就……）

2. 张华的妈妈身体不太好，冬天_____。（一……就……）

3. 明天的舞会不用买票，_____。（谁）

4. 现在坐飞机非常方便，你＿＿＿＿＿＿＿＿＿＿＿＿。（哪儿）

5. 在中国过春节不但可以吃饺子，＿＿＿＿＿＿＿＿＿＿＿。（而且）

七 将1—5与A—E搭配起来。Match 1–5 with A–E.

1. 你毕业以后打算干什么？
2. 你会留在中国工作吗？
3. 这个星期六你有什么安排吗？
4. 周末的舞会我可以带朋友吗？
5. 这个房间是为你准备的。

A. 不，我一毕业就回国。
B. 我跟高中同学有个聚会。
C. 太漂亮了，谢谢你！
D. 我想当老师。
E. 当然可以，你想带谁就带谁。

1 — ＿＿＿＿　　2 — ＿＿＿＿　　3 — ＿＿＿＿　　4 — ＿＿＿＿　　5 — ＿＿＿＿

八 将下列词语组成句子。Make up sentences with the following words.

例：吗 可以 我 试试
　　<u>我可以试试吗？</u>

1. 词典 这是 你 准备 为 的 本
　　＿＿＿＿＿＿＿＿＿＿＿。

2. 他 毕业 结婚 就 一 了
　　＿＿＿＿＿＿＿＿＿＿＿。

3. 帮助 纠正 想 他们 发音 我
　　＿＿＿＿＿＿＿＿＿＿＿。

4. 布置 的 漂漂亮亮 得 房间
　　＿＿＿＿＿＿＿＿＿＿＿。

5. 星期天什么 你 有 吗 安排
　　＿＿＿＿＿＿＿＿＿＿＿？

九 根据所给的词语，把下列对话填写完整。Complete the dialogue with the given words.

惠美：张华，这个周末你打算做什么？

张华：我_____。 　　　　　　　　　　　　（想）

惠美：_____。你来参加我们的舞会吧。 　（什么）

张华：好吧。可以带朋友吗?

惠美：_____。 　　　　　　　　　　　　（谁）

张华：对了，要买吃的、喝的吗?

惠美：要，我们_____。舞会七点开始。 　（一……就……）

张华：好的。

十　完形填空。Cloze.

　　下个星期天卡伦要去参加"外国人说汉语"比赛。她在中国(1)_____了很长时间了，汉语说得很流利，(2)_____发音不太好。张华(3)_____她(4)_____发音。虽然卡伦(5)_____得非常好，可是还是很(6)_____。安德鲁说："你(7)_____一点儿吧。比赛的时候穿得(8)_____的，肯定没问题!"卡伦说："没办法，我(9)_____紧张就不知道说什么了。"惠美说："那么吃点巧克力吧。听说吃巧克力(10)_____可以帮助你放松，而且可以让你兴奋（excited）。"

(1) A. 了解 　　　　　　B. 生活 　　　　　　C. 留

(2) A. 可是 　　　　　　B. 要不 　　　　　　C. 虽然

(3) A. 帮忙 　　　　　　B. 帮助 　　　　　　C. 请

(4) A. 提高 　　　　　　B. 锻炼 　　　　　　C. 纠正

(5) A. 准备 　　　　　　B. 打算 　　　　　　C. 看

(6) A. 紧张 　　　　　　B. 高兴 　　　　　　C. 感兴趣

(7) A. 放松 　　　　　　B. 容易 　　　　　　C. 着急

(8) A. 高高兴兴 　　　　B. 漂漂亮亮 　　　　C. 漂亮漂亮

(9) A. 虽然 　　　　　　B. 要不 　　　　　　C. 一

(10) A. 因为 　　　　　　B. 不但 　　　　　　C. 但是

汉字练习　Chinese Characters

一　根据拼音写汉字。Write Chinese characters according to *pinyin*.

shēnghuó　　　jiūzhèng　　　jǐnzhāng　　　ānpái

选择正确的汉字。Choose the correct Chinese characters.

1. 我想留在日本当一＿＿＿＿＿汉语老师。 （名　各）
2. 明天晚上你有什么安＿＿＿＿＿吗？ （排　排）
3. 星期六你要穿得漂漂亮亮的，＿＿＿＿＿为舞会是为你准备的！ （困　因）
4. 学法语可以帮助我在法国＿＿＿＿＿活。 （生　主）
5. 他想一毕＿＿＿＿＿就回国。 （业　亚）

三　找出每组中偏旁不同的字。Find out the Chinese character with the different radical in each group.

例：床　庆　店　应　厌　（厌）

1. 亮　首　京　离　旁　（　）
2. 男　备　累　名　思　（　）
3. 当　少　常　弟　堂　（　）
4. 活　语　译　说　讲　（　）

四　将下列部件组成汉字填在横线上。Compose Chinese characters with the given components.

亻　巳　丷　方　夕　口　彐　廾　夂　旦

1. ＿＿＿＿　2. ＿＿＿＿　3. ＿＿＿＿　4. ＿＿＿＿　5. ＿＿＿＿

任务　Task

下周末学校有一个唱中国歌比赛。老师让你写一个活动海报，鼓励同学们都来参加。请你用所给的词语和句型完成这份海报。

| 不但……而且……　　谁……谁……　　V＋得＋AABB＋的　　……是为你们准备的 |
| 一……就…… |

唱中国歌比赛

同学们，下周末我们学校有一个唱中国歌比赛。_____

_____

_____

_____

_____

_____

_____

第34课 机票买回来了

语法练习　Grammar

一　看图和拼音，把词语填写完整。Complete the words according to the pictures and *pinyin*.

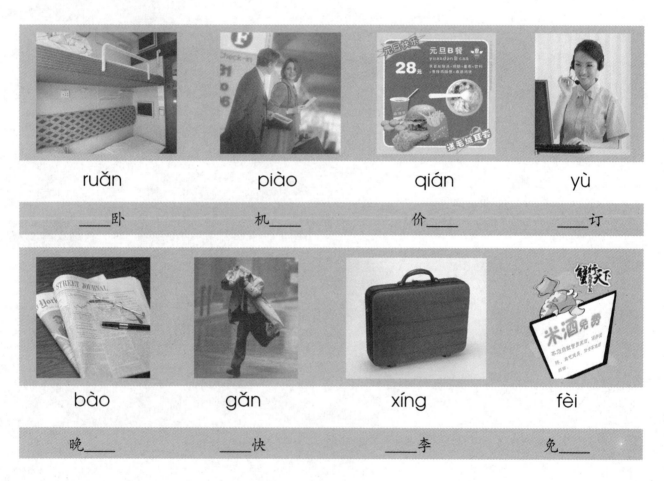

ruǎn	piào	qián	yù
___卧	机___	价___	___订

bào	gǎn	xíng	fèi
晚___	___快	___李	免___

二　选词填空。Fill in the blanks with the appropriate words.

> 直接　放　比较　抓紧　只要

1. 坐飞机快，到上海_____两个小时。

2. 坐出租汽车_____贵，但是比公共汽车方便多了。

3. _____去火车站买票，可以买十天以后的票。

4. 请大家_____时间，飞机马上就要起飞了。

5. 糟糕，我忘了把身份证_____进去了。

三 选择合适的词语，并用"V+着"完成句子。Choose the proper words and complete the sentences with "V+着".

> 穿　等　写　坐　听

1. 他没站着，_____呢。

2. 今天她_____一件红色的毛衣，特别漂亮。

3. 纸上_____我的电话，如果要订票，可以给我打电话。

4. 弟弟正_____音乐呢，听不到你说话。

5. 出租车在楼下_____呢，赶快走吧。

四 把括号中的词语填入合适的位置。Put the words into the appropriate places.

1. 马克跑A进B教室C了，你问他吧。　　　　　　（来）

2. 她正A在B看C书呢。　　　　　　　　　　　　（着）

3. 你男朋友A在楼下B等C着，在门口等着呢。　　（没）

4. 今天早上旅行社把票A送B来C了。　　　　　　（过）

5. 妈妈一回家就A上B楼C了，好像不舒服。　　　（去）

五 用"来"或"去"填空。Fill in the blanks with "来" or "去".

1. 你先回家_____吧，我还要买点东西。

2. 昨天我买回_____一张新出的CD，咱们一起听吧。

3. 请把你的护照拿出_____，让我看一下。

4. 卡伦跑进教室_____的时候，我们正在上课呢。

5. 惠美，你赶快下楼_____吧，出租车正在楼下等着呢。

6. 公共汽车开过_____了，我们准备上车吧。

六 用所给的词语完成句子。Complete sentences with the given words.

1. 去王府井，你_____。（可以……，也可以……，还可以……）

2. 我今天_____，又好吃又便宜，你尝尝。（V+回来+O）

3. 雨_____，你还是等一会儿再走吧。（V+着）

4. 师傅，麻烦你打开后备箱，我_____。（把+O+V+进去）

5. 她_____，她学习真努力！（正+V+着+O）

七　将1—5与A—E搭配起来。Match 1–5 with A–E.

1. 咱们这个周末做什么，去逛街还是去看电影？

2. 马克和安德鲁呢，怎么没看到他们？

3. 听说现在机票比较贵，过年坐飞机回家的人很多。

4. 师傅，下午一点的飞机，来得及来不及？

5. 你把包裹取回来了吗？

A. 没问题，来得及。

B. 你说呢？我觉得都行。

C. 那还是坐火车吧。

D. 取回来了。

E. 他们还在房间里睡着呢，真懒！

1 —_____　　2 —_____　　3 —_____　　4 —_____　　5 —_____

八　将下列词语组成句子。Make up sentences with the following words.

例：吗　可以　我　试试

　　我可以试试吗？

1. 把　机票　送　来　请　过

_____。

2. 他们　着　正　看　呢　电视

_____。

3. 老师　走　教室　来　了　进

_____。

4. 昨天　我　回　买　来　一　鞋　双

_____。

5. 车　楼下　着　等　在　呢

_____。

根据所给的词语，把下列对话填写完整。Complete the dialogue with the given words.

张华：卡伦，你跟惠美下星期去新疆，是做飞机去还是坐火车去？

卡伦：你说呢？我们还没有决定呢。

张华：＿＿＿＿＿＿＿＿，现在飞机票比较便宜，坐火车太累了。（还是）

卡伦：好，怎么买机票比较方便？

张华：＿＿＿＿＿＿＿＿＿＿＿＿＿＿＿。（可以……，也可以……，还可以……）

卡伦：旅行社他们能不能＿＿＿＿＿＿＿＿？（把+O+V+过来）

张华：没问题！我有个朋友，是旅行社经理，我让他帮你们吧。

卡伦：太好了！谢谢你，张华。对了，我＿＿＿＿＿＿＿＿，一起吃吧。（V+回来+O）

张华：那我就不客气了。惠美呢？

卡伦：她可懒了，还＿＿＿＿＿＿＿＿。（V+着呢）

十 完形填空。Cloze.

　　张华打算"十一"去上海旅游。是坐飞机去还是坐火车去呢？张华打算(1)＿＿＿＿坐飞机去，因为坐飞机(2)＿＿＿＿快，可以(3)＿＿＿＿时间多玩几个地方。于是，她买回来一(4)＿＿＿＿晚报，查了很多(5)＿＿＿＿旅行社的电话。旅行社的职员告诉她十月一号机票不打折，一共1100元，但是十月三号可以打7折，(6)＿＿＿＿790元。张华觉得如果十月三号出发就太晚了。她决定还是坐火车去。她去火车售票处买票，可是没把票买(7)＿＿＿＿来，因为售票处只卖四天以后的票。于是她(8)＿＿＿＿去火车站排队买票。她说不管是卧铺票还是(9)＿＿＿＿票，她都买。刚才我给她打电话的时候，她正排(10)＿＿＿＿队呢。

(1) A.还有　　　　　　B.还是　　　　　　C.还要

(2) A.有点　　　　　　B.一点　　　　　　C.比较

(3) A.抓紧　　　　　　B.赶快　　　　　　C.直接

(4) A.份　　　　　　　B.张　　　　　　　C.片

(5) A.个　　　　　　　B.家　　　　　　　C.座

(6) A.还要　　　　　　B.只要　　　　　　C.应该

(7) A.回　　　　　　　B.进　　　　　　　C.上

(8) A.快快　　　　　　B.很快　　　　　　C.赶快

(9) A.软卧　　　　　　B.硬卧　　　　　　C.硬座

(10) A.在　　　　　　　B.着　　　　　　　C.了

汉字练习　　**Chinese Characters**

一　根据拼音写汉字。Write Chinese characters according to *pinyin*.

zhuājǐn	zhíjiē	zhǐyào	bānjī

二　选择正确的汉字。Choose the correct Chinese characters.

1. 请打开后备箱，我把行李＿＿＿＿进去。　　（放　方）
2. 旅行社可以＿＿＿＿费送票。　　（免　兔）
3. 每天早上我都起得很晚，来不＿＿＿＿吃早饭。　　（反　及）
4. 帮我买一＿＿＿＿晚报吧。　　（分　份）
5. 你怎么总是＿＿＿＿三落四的。　　（去　丢）

三　找出每组中偏旁不同的字。Find out the Chinese character with the different radical in each group.

例：床　庆　店　应　厌（厌）

1. 定　空　客　寒　家（　）
2. 准　减　订　次　冷（　）
3. 晚　时　明　叫　映（　）
4. 报　抓　打　杯　接（　）

四　将下列部件组成汉字填在横线上。Compose Chinese characters with the given components.

羊　交　西　车　衤　扌　女　土　妾　目

1. ＿＿＿＿　2. ＿＿＿＿　3. ＿＿＿＿　4. ＿＿＿＿　5. ＿＿＿＿

任务 Task

下面是你的朋友卡伦写给你的一封信，她想要去西安旅行，希望你能给她一些建议。请你在读完信以后，用所给的词语和句型写一封回信给她。

王华：

　　你好！你最近还好吗？下个星期我要去西安旅行，希望你给我一些建议。

　　我怎么去比较好，是坐飞机去还是坐火车去呢？如果坐飞机，我应该怎么买机票？现在买机票还来得及吗？今天我买回来一张晚报，查了很多家旅行社的电话，可是我不知道哪家更好。这是我第一次去西安，可以去哪儿参观呢？还有，我应该带些什么呢？

　　不好意思，我的问题有点多，请你原谅。

　　我等着你的回信。

卡伦
2009年1月25日

可以……可以……，还是……，V+回来+O，V着，把+O+V+进去，V+好

卡伦：

_____

_____

_____

_____

_____

_____

_____

王华
_____年_____月_____日

语法练习 Grammar

一 看图和拼音，把词语填写完整。Complete the words according to the pictures and *pinyin*.

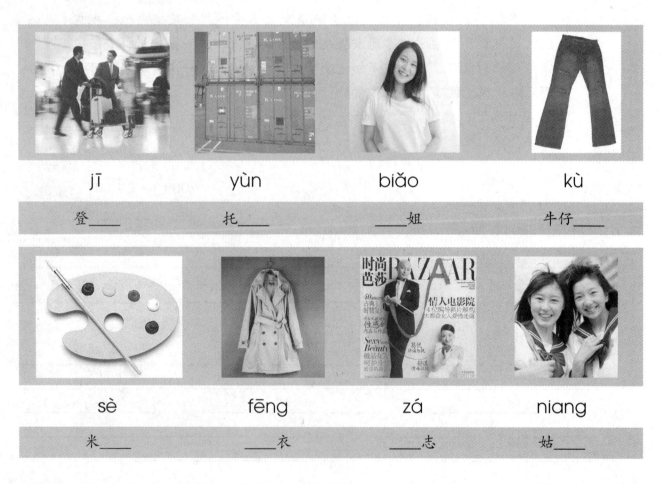

jī	yùn	biǎo	kù
登____	托____	____姐	牛仔____

sè	fēng	zá	niang
米____	____衣	____志	姑____

二 选词填空。Fill in the blanks with the appropriate words.

> 条　地　手续　上身　半天

1. 我们等你_____了，你怎么才来？

2. 咱们先去办理托运_____吧，行李比较多。

3. 生词很多，你得一个一个_____记。

4. 上周末她买了三_____牛仔裤，她特别喜欢买牛仔裤。

5. 我表姐_____穿着一件白毛衣，下身穿着一条裙子。

三　选择合适的词语，并用"……地+V+(O)"完成句子。Choose the proper words and complete the sentences with "……地+V+(O)".

┌──┐
│ 高兴　　一家一家　　一遍一遍　　一个一个　　努力 │
└──┘

1. 来中国以后，卡伦_____，汉语水平提高得很快。

2. 这次游泳比赛安德鲁得了第一名，大家都_____。

3. 请稍等，手续要_____。

4. 这里的商店挺多的，咱们可以_____。

5. 这张CD太好听了，我_____，听了半天了。

四　把括号中的词语填入合适的位置。Put the words into the appropriate places.

1. 我们都A唱B半天C了。　　　　　　　　　　　　（了）

2. 他们A高兴B进来C了，告诉大家票已经买好了。　（地）

3. 各位快登机吧，飞机A马上B要C起飞了。　　　　（就）

4. 这周末你A来B参加C卡伦的生日party吗？　　　（会）

5. 我们每天A走B去C学校。　　　　　　　　　　　（着）

五　用"得"或"地"填空。Fill in the blanks with "得" or "地".

1. 安德鲁跳舞跳_____很不错。

2. 他每天努力_____工作，大家都很喜欢他。

3. 这么难的书，你看_____懂吗？

4. 卡伦一遍一遍_____听着录音，最后听懂了。

5. 时间过_____真快，我们就要毕业了。

六　用所给的词语完成句子。Complete the sentences with the given words.

1. 我们都_____，你怎么现在才到？（半天了）

2. 别着急，你们不要一起说，_____。（一个一个地+V）

3. 那个姑娘手里_____，应该是你表姐的朋友。（V+着+O）

4. 你看，那边_____的男人是不是来接我们的人？（V1＋着＋V2）

5. 那家饭店出了新菜，咱们_____吧。（过去＋VV）

七 将1—5与A—E搭配起来。Match 1–5 with A–E.

1. 你们到了多长时间了？

2. 这是您的机票，请拿好。

3. 明天你爸爸妈妈会来接你吗？

4. 我们怎么找到你表姐呢？

5. 那儿有成都来的大熊猫，我们过去看看吧。

A. 谢谢！明天我直接去机场就可以了吧？

B. 我们都到了半天了。

C. 她上身穿着一件白衬衫，外边穿着一件米色风衣。

D. 好主意！

E. 他们明天有事，不能来。

1 —_____   2 —_____   3 —_____   4 —_____   5 —_____

八 将下列词语组成句子。Make up sentences with the following words.

例：吗 可以 我 试试
　　<u>我可以试试吗？</u>

1. 我 半天 都 了 到 了
_____。

2. 高兴 了 进 教室 来 他 地
_____。

3. 马上 飞机 要 了 就 起飞
_____。

4. 着 拿 里 手 一 她 书 本
_____。

5. 他们 坐 聊天 在 呢 着
_____。

根据所给的词语，把下列对话填写完整。Complete the dialogue with the given words.

安德鲁：我们都到了半天了，你们怎么才到？

张　华：　对不起，路上堵车，_____。（久等）

安德鲁：不要紧。马上_____，赶快去办登机牌吧。（就要……了）

张　华：　好，我们一起办吧。

安德鲁：不行，手续_____。（一个一个地+V）

张　华：　那好吧。

（办完手续）

张　华：　你朋友_____？（会）

安德鲁：他今天有事，他请他姐姐来接我们。

张　华：　那我们怎么找到她呢？

安德鲁：她手里_____，牌儿上_____。（V+着+O）

十 完形填空。Cloze.

　　今天我跟安德鲁、卡伦他们一起去杭州旅行。下午四点的飞机。卡伦三点才到，我们等了(1)_____。卡伦说路上堵车，所以晚了。我们赶快去(2)_____登机牌和(3)_____行李。手续要(4)_____地办。等我们办完手续，飞机马上(5)_____要起飞了，真够紧张的！到了杭州，饭店的服务员来接我们。他(6)_____穿着一件米色衬衫，下身穿着一(7)_____牛仔裤，手里拿(8)_____一个牌儿，牌儿上写着我们的名字。看到我们，他高兴(9)_____说："你们好，欢迎来杭州。"我们的饭店离西湖（the West Lake）不太远，晚饭以后我们走(10)_____去西湖附近，西湖真美！

(1) A. 一天　　　　　B. 半天　　　　　C. 两天

(2) A. 办　　　　　　B. 拿　　　　　　C. 找

(3) A. 登机　　　　　B. 托运　　　　　C. 预订

(4) A. 一遍一遍　　　B. 一本一本　　　C. 一个一个

(5) A. 就　　　　　　B. 才　　　　　　C. 正

(6) A. 下身　　　　　B. 全身　　　　　C. 上身

(7) A. 件　　　　　　B. 条　　　　　　C. 双

(8) A. 地　　　　　　B. 在　　　　　　C. 着

(9) A. 得　　　　　　B. 了　　　　　　C. 地

(10) A. 地　　　　　B. 着　　　　　　C. 了

一　根据拼音写汉字。Write Chinese characters according to *pinyin*.

bànlǐ　　　　tiáo　　　　shàngshēn　　　　hóng

二　选择正确的汉字。Choose the correct Chinese characters.

1. 那个姑娘_____里拿着一本杂志。　　　（ 毛　手 ）
2. 她都等了_____天了，你怎么现在才来？　　　（ 来　半 ）
3. 先去办理登机手_____吧。　　　（ 读　续 ）
4. 我_____姐的朋友会来机场接我们。　　　（ 麦　表 ）
5. 今天卡伦穿着一件米_____的风衣。　　　（ 色　巴 ）

三　找出每组中偏旁不同的字。Find out the Chinese character with the different radical in each group.

例：床　庆　店　应　厌　（厌）

1. 续　红　结　纠　较　（　）
2. 运　赶　过　递　退　（　）
3. 姑　姐　婚　很　娘　（　）
4. 志　热　念　想　总　（　）

四　将下列部件组成汉字填在横线上。Compose Chinese characters with the given components.

片　土　辶　士　女　古　也　卑　心　云

1. _____　2. _____　3. _____　4. _____　5. _____

任务　Task

下面是一次舞会的照片，请你用所给的词语和句型描述（describe）一下照片里的人。

……地+V　一遍一遍　穿着+O　拿着+O　站着+V　坐着+V

_____

_____

_____

_____

_____

语法练习　Grammar

一　看图和拼音，把词语填写完整。Complete the words according to the pictures and *pinyin*.

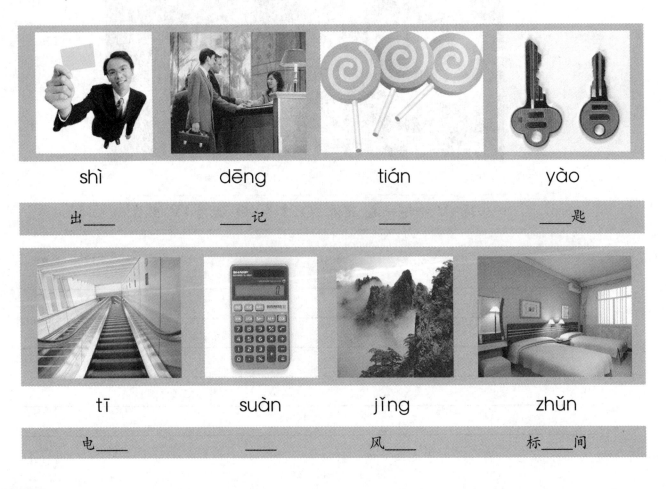

shì	dēng	tián	yào
出____	____记	____	____匙

tī	suàn	jǐng	zhǔn
电____	____	风____	标____间

二　选词填空。Fill in the blanks with the appropriate words.

加　暖和　干燥　感觉　极了

1. 杭州比北京_____的多。

2. 这里的风吹在脸上，_____很舒服。

3. 中午十二点以后退房，要_____半天的住宿费。

4. 北京的冬天比较_____，你要多喝点儿水。

5. 杭州的风景美_____！

三 选择合适的词语，并用"Adj/V＋极了"完成句子。Choose the proper words and complete the sentences with "Adj/V＋极了".

忙　漂亮　高兴　好吃　羡慕

1. 就要考试了，我们_____。

2. 杭州不但风景美，而且杭州的姑娘也_____。

3. 西湖醋鱼_____，我真想再去尝尝！

4. 马克去年在中国人家里过年，特别有意思，我_____。

5. 这次足球比赛我们班得了第一名，_____。

四 把括号中的词语填入合适的位置。Put the words into the appropriate places.

1. 您要A什么B样C房间？　　　　　　　　（的）

2. 这几天在杭州A感觉B极了C。　　　　　　（好）

3. 刚才我特别紧张，现在A不B紧张C。　　　（了）

4. 早上有小笼包子，中午A就B有C了。　　　（没）

5. 杭州的气候A没有B北京C干燥。　　　　　（那么）

五 用"着"或"了"填空。Fill in the blanks with "着" or "了".

1. 一开始我听不懂，现在听懂_____。

2. 昨天我买_____两双鞋子。

3. 出租汽车在楼下等_____，赶快下去吧。

4. 他们正站_____聊天呢。

5. 这里太美了，像天堂一样，我都不想回去_____。

六 用所给的词语完成句子。Complete the sentences with the given words.

1. 请问，_____？我们想住三天。（有……吗）

2. 单人间一天一百，_____。（一天）

3. 昨天晚上我们去吃了杭州菜，_____。（极了）

4. 以前他只是银行的职员，现在_____。（……了）

5. 今天我不太舒服，_____，你们去吧。（不……了）

七 将1—5与A—E搭配起来。Match 1–5 with A–E.

1. 我们打算晚上七点退房，要加多少钱？

2. 请问，有矿泉水吗？

3. 你们要什么样的房间？

4. 苹果怎么卖？

5. 这几天在杭州我们真是大饱眼福了。

A. 还大饱口福了，真是天堂一样的生活！

B. 对不起，矿泉水卖完了。

C. 晚上六点以后要算一天的住宿费。

D. 我们要两个标准间。

E. 大的一斤三块，小的一斤两块。

1—_____   2—_____   3—_____   4—_____   5—_____

八 将下列词语组成句子。Make up sentences with the following words.

例：吗 可以 我 试试
　　我可以试试吗？

1. 请 有 房间 吗 问 空
　　_____?

2. 你 鞋 什么 的 样 要
　　_____?

3. 都 了 不 想 我 回去
　　_____。

4. 杭州 北京 暖和 没有 那么
　　_____。

5. 好 房间 钥匙 这是 的 请 拿 您
　　_____。

九 根据所给的词语，把下列对话填写完整。Complete the dialogue with the given words.

（在饭店）

安德鲁：请问，_____？（有……吗？）

服务员：对不起，刚才一个客人买了很多小笼包子，所以现在_____。（没……了）

安德鲁：不要紧。我们想吃西湖醋鱼。多少钱？

服务员：这种一斤三十五块，_____。（Numeral＋Measure word）

马克：　就要那种吧。我们还想喝点儿茶。

服务员：你们_____？（什么样）

马克：　我们想尝尝龙井茶。

服务员：好的。请稍等。

（吃完饭以后）

马克：　杭州菜太好吃了！

安德鲁：是啊，这几天感觉好极了，我_____。（不……了）

十 完形填空。Cloze.

　　这几天在杭州我们(1)_____好极了！杭州不但(2)_____美，而且杭州的姑娘也很漂亮。杭州的气候没有北京那么干燥，风(3)_____在脸上，很舒服。安德鲁的表姐请我们吃饭，我们尝了很多(4)_____的，像西湖醋鱼、龙井虾仁、小笼包子什么的。真是(5)_____了。星期六晚上七点我们退了房。服务员说晚上六点以后要(6)_____一天的住宿费，(7)_____一天一百块，所以又加了一百块。我们把(8)_____还给了服务员，然后打车去机场。中国人说"上有(9)_____，下有苏杭。"这几天我们真是过着天堂一样的生活啊。我(10)_____不想回去了！

(1) A. 感情　　　　　　　B. 感觉　　　　　　　C. 觉得

(2) A. 气候　　　　　　　B. 风景　　　　　　　C. 天气

(3) A. 吹　　　　　　　　B. 放　　　　　　　　C. 加

(4) A. 好玩　　　　　　　B. 好吃　　　　　　　C. 好听

(5) A. 大饱眼福　　　　　B. 大饱口福　　　　　C. 大饱吃福

(6) A. 算　　　　　　　　B. 是　　　　　　　　C. 多

(7) A. 标准　　　　　　　B. 标准间　　　　　　C. 标准房间

(8) A. 行李　　　　　　　B. 钥匙　　　　　　　C. 钱包

(9) A. 天上　　　　　　　B. 天下　　　　　　　C. 天堂

(10) A. 就　　　　　　　　B. 都　　　　　　　　C. 才

汉字练习　**Chinese Characters**

一 根据拼音写汉字。Write Chinese characters according to *pinyin*.

gānzào　　　　gǎnjué　　　　tiāntáng　　　　qìhou

二 选择正确的汉字。Choose the correct Chinese characters.

1. 单人_____一天一百五。　　　　　　　（ 问　间 ）
2. 十二点以后要_____半天的住宿费。　　（ 咖　加 ）
3. 这里比北京_____和多了。　　　　　　（ 暖　暖 ）
4. 西湖醋鱼好吃_____了！　　　　　　　（ 报　极 ）
5. 请问，你们这儿有_____房间吗?　　　（ 突　空 ）

三 找出每组中偏旁不同的一个汉字。Find out the Chinese character with the different radical in each group.

例：床　庆　店　应　厌　（ 厌 ）

1. 福　祝　裤　社　视　（ 　 ）
2. 标　报　极　梯　树　（ 　 ）
3. 脸　朋　期　肚　晚　（ 　 ）
4. 填　坏　块　理　地　（ 　 ）

四 将下列部件组成汉字填在横线上。Compose Chinese characters with the given components.

礻　亻　讠　禾　穴　工　己　口　主　包

1. _____　2. _____　3. _____　4. _____　5. _____

任务　Task

　　下面是惠美的苏州旅行日记。请你根据图片，用所给词语和句型完成日记。

一天……　算……　Adj+极了　A没B那么+Adj　不但……而且……　大饱口福
不想……了

苏州旅行日记

　　在苏州旅行的时候，我住在苏州宾馆。那儿单人房___
_____。
晚上六点以后_____
_____。
　　苏州的天气_____
_____。公园_____
_____，
_____。
　　苏州的小吃_____
_____。我_____
_____。我想以后再去苏州。

第37课 能帮我们照张相吗

语法练习 Grammar

一 看图和拼音，把词语填写完整。Complete the words according to the pictures and *pinyin*.

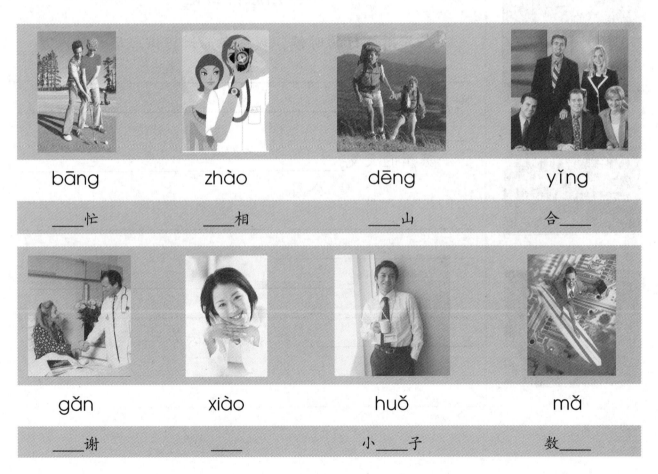

bāng	zhào	dēng	yǐng
___忙	___相	___山	合___

gǎn	xiào	huǒ	mǎ
___谢	___	小___子	数___

二 选词填空。Fill in the blanks with the appropriate words.

> 下来　俗话　发　劳驾　终于

1. 我们_____考上大学了！

2. _____说"不好长城非好汉"。

3. _____，能帮我拿一下吗？

4. 你把照片_____到我的邮箱里了没有？

5. 我把他的电话号码告诉你，你记_____吧。

三 选择合适的词语，并用"V+出来"完成句子。Choose the proper words and complete the sentences with "V+出来".

| 洗 喝 想 看 做 |

1. 别着急，我_____了一个好办法：咱们先去给你妈妈买一个礼物，再去你家吧。

2. 看，那个穿着红衣服的女孩，你_____她是谁了吗？

3. 这次考试难极了，好多题我都没_____。

4. 这是什么茶，你_____了吗？要不你再尝尝？

5. 咱们在杭州拍的照片_____了没有？

四 把括号中的词语填入合适的位置。Put the words into the appropriate places.

1. 我们终于A爬B山C了。　　　　　　　　　　（上）

2. 那边A停B一辆汽车C，是红色的。　　　　　（着）

3. 我们家今年A住B新房子C了。　　　　　　　（上）

4. 您哪天有时间，A我们B哪天C去看您。　　　（就）

5. 老师的话我A都B下来C了。　　　　　　　　（记）

五 用"下来"或"出来"填空。Fill in the blanks with "下来" or "出来".

1. 前边过来一个漂亮姑娘，你看_____她是谁了吗？

2. 我没吃_____这是什么菜，你还是告诉我吧。

3. 请你把他的话给我写_____。

4. 我刚从杭州回来，还没来得及把照片洗_____呢。

5. 我听不懂他的话，所以没记_____。

六 用所给的词语完成句子。Complete the sentences with the given words.

1. 我半天才_____，快累死了！（上）

2. 那边_____，他手里拿着一个牌子。（过来）

3. 他正坐着写作业呢，那道题他还没_____。（V+出来）

4. 哪儿风景美，咱们_____。（哪儿）

5. 我的电话号码你_____了没有？（下来）

七 将1—5与A—E搭配起来。Match 1–5 with A–E.

1. 你是什么时候登上长城的？

2. 咱们俩照张合影吧。

3. 那边过来一位老人，你知道他是谁吗？

4. 作业做完了吗？

5. 劳驾，能帮我买一份吗？

A. 我已经买回来一份晚报了。

B. 去年冬天。

C. 好啊。

D. 这道题我还没做出来。

E. 是教授吧。

1—_____ 2—_____ 3—_____ 4—_____ 5—_____

八 将下列词语组成句子。Make up sentences with the following words.

例：吗 可以 我 试试

我可以试试吗？

1. 终于 上 长城 我们 了 登

_____。

2. 一 服务员 个 过来 那边

_____。

3. 劳驾 吗 合影 能 张 帮 照 我们

_____？

4. 咱们 照片 的 出来 没有 了 洗

_____？

5. 你 话 写 下来 已经 了 的 我

_____。

根据所给的词语，把下列对话填写完整。Complete the dialogue with the given words.

（在黄山）

安德鲁：咱们终于＿＿＿＿＿＿＿＿＿＿＿。（上）

马克：　是啊，这儿的风景太美了，我都不想回去了。

安德鲁的表姐：那你快把这儿的风景＿＿＿＿＿＿＿＿＿＿吧。回去以后也可以天天看。（下来）

马克：　好的。咱们照张合影吧。

安德鲁：好啊。那边＿＿＿＿＿＿＿＿＿＿。咱们请她帮个忙吧。（过来）

马克：　好的。劳驾，＿＿＿＿＿＿＿＿＿＿吗？（能）

姑娘：　没问题。准备好了吗？笑一个，好啦！

马克：　太感谢你了。

安德鲁的表姐：安德鲁，你什么时候把照片＿＿＿＿＿＿＿＿＿＿呢？（出来）

安德鲁：我一回到北京，就去洗照片。

安德鲁的表姐：好。不过我的照片，你不用都洗出来。你看＿＿＿＿＿＿＿＿＿＿。（哪……，就……哪……）

安德鲁：好。

完形填空。Cloze.

　　在杭州的时候我们带了一个数码(1)＿＿＿。那儿的风景好极了！安德鲁给我(2)＿＿＿了好多张相。天气很好，风吹在脸上很舒服，我(3)＿＿＿上眼睛，觉得像在天堂一样。我们在西湖旁边散步的时候，前边(4)＿＿＿一个漂亮的杭州姑娘，我们跟她照了张合影。感觉好极了！

　　安德鲁说他一回到北京，就把照片洗(5)＿＿＿，然后寄给我。我告诉他不用张张都洗，他觉得哪张漂亮，(6)＿＿＿洗哪张。我把我的(7)＿＿＿告诉了他，他记(8)＿＿＿了。可是到现在我还没有(9)＿＿＿到照片。我想我还是让他把照片(10)＿＿＿到我的邮箱里吧。

(1) A. 机　　　　　　　B. 像机　　　　　　C. 相机

(2) A. 留　　　　　　　B. 照　　　　　　　C. 照相

(3) A. 关　　　　　　　B. 开　　　　　　　C. 闭

(4) A. 下来　　　　　　B. 过来　　　　　　C. 进来

(5) A. 出来　　　　　　B. 下来　　　　　　C. 过来

(6) A. 才　　　　　　　B. 都　　　　　　　C. 就

(7) A. 地方　　　　　　B. 地点　　　　　　C. 地址

(8) A. 过来　　　　　　B. 出来　　　　　　C. 下来

(9) A. 发　　　　　　　B. 收　　　　　　　C. 接

(10) A. 送　　　　　　　B. 寄　　　　　　　C. 发

汉字练习　**Chinese Characters**

一 根据拼音写汉字。Write Chinese characters according to *pinyin*.

hǎohàn	shùmǎ	yóuxiāng	zhōngyú

二 选择正确的汉字。Choose the correct Chinese characters.

1. 看，那个穿着红裙子的姑娘，多_____啊！　（姜　美）
2. 俗话说，不到长城_____好汉。　（韭　非）
3. 你_____上眼睛，听到风的声音了吗？　（闭　闲）
4. 劳驾，能把我把照片_____出来吗？　（冼　洗）
5. 你什么时候把照片_____到我的邮箱里了？　（友　发）

三 找出每组中偏旁不同的字。Find out the Chinese character with the different radical in each group.

例：床　庆　店　应　厌　（厌）

1. 汉　没　净　法　洗　（　）
2. 等　劳　笑　笔　答　（　）
3. 欲　收　放　数　散　（　）
4. 忙　俗　懒　惜　快　（　）

四 将下列部件组成汉字填在横线上。Compose Chinese characters with the given components.

咸　邦　土　昭　巾　止　景　灬　心　彡

1. _____　2. _____　3. _____　4. _____　5. _____

你要把在长城照的照片发到马克的邮箱里。请用所给的词语和句型给马克写一封E-mail。

终于　合影　洗出来　哪……哪……　闭上　把……发到……　邮箱　V+下来

马克：

_____

_____

_____

_____

_____

_____

张华

第38课 我的包落在 出租车上了

语法练习 Grammar

一 看图和拼音，把词语填写完整。Complete the words according to the pictures and *pinyin*.

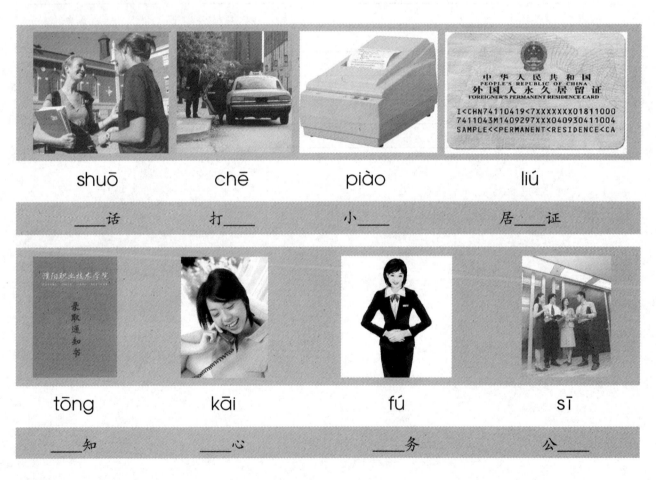

shuō	chē	piào	liú
____话	打____	小____	居____证

tōng	kāi	fú	sī
____知	____心	____务	公____

二 选词填空。Fill in the blanks with the appropriate words.

> 落　左右　清楚　里面　小心

1. 我是昨天晚上七点_____把照片发到你的邮箱里的。

2. 你以后一定要特别_____，别总是丢三落四的。

3. 他的行李_____有很多杂志。

4. 糟糕，我的包_____在公共汽车上了。

5. 你看_____了没有？那个穿着红衣服的女孩是谁？

三　选择合适的词语，并用"V得Adj/V不Adj"完成句子。Choose the proper words and complete the sentences with "V得Adj/ V不Adj".

| 听懂　写好　洗干净　发好　看清楚 |

1. 这件衣服我_____，要不，再买一件新的吧。

2. 我_____这个音，你可以帮我一下吗？

3. 这儿离黑板很近，所以我_____黑板上的字。

4. 我对中国书法很感兴趣，可是_____。

5. 他说英语我_____，你可以给我当一下翻译吗？

四　把括号中的词语填入合适的位置。Put the words into the appropriate places.

1. 我的相机A落B车上C了。　　　　　　　　　　　　（在）

2. 他写的地址我A看B清楚C，所以没找到他的家。　　　（不）

3. 你把钥匙A拿B看看C，上面有你的房间号。　　　　　（出来）

4. 没关系，A我B来C一会儿。　　　　　　　　　　　　（刚）

5. 听说机票终于买回来了，我们A高兴B跳C了起来。　　（得）

五　用"刚"或"刚才"填空。Fill in the blanks with "刚" or "刚才".

1. _____我把我们在杭州照的照片洗出来了。

2. 今天他不太舒服，_____喝了一碗汤就饱了。

3. _____我买回来一份报，你看看吧。

4. 你来得不晚，我们_____下课。

5. _____我把我的邮箱告诉她了，她已经记下来了。

六　用所给的词语完成句子。Complete the sentences with the given words.

1. 你说的话我_____，你能不能大声一点儿？（V不Adj）

2. 你_____，上面有他的姓名和电话。（把+O+V+出来）

3. _____，你给他回个电话吧。（刚才）

4. 比赛的时候我＿＿＿＿＿＿＿＿＿＿＿＿。（紧张得……）

5. 哪儿啊，＿＿＿＿＿＿＿＿＿＿＿＿，所以他不要我的钱。（那是）

七 将1—5与A—E搭配起来。Match 1–5 with A–E.

1. 你有什么事？

2. 对不起，你说的话我听不见，你能不能说得大声点儿？

3. 请问有没有人送钱包过来？我的钱包落在你们公司的出租车上了。

4. 今天我们花了多少钱？

5. 你知道吗？我的护照找到了，刚才司机把它送回来了。

A. 我说请你快点办理登记手续，飞机马上就要起飞了。

B. 这下好了，不过你以后可要小心了。

C. 我的机票落在你们旅行社那儿了。

D. 我帮您查查，一有消息马上通知你。

E. 你把小票拿出来看看，上面有价格。

1 —＿＿＿＿　　2 —＿＿＿＿　　3 —＿＿＿＿　　4 —＿＿＿＿　　5 —＿＿＿＿

八 将下列词语组成句子。Make up sentences with the following words.

例：吗 可以 我 试试
　　我可以试试吗？

1. 的 我 了 车 落 在 包 上
　　＿＿＿＿＿＿＿＿＿＿＿＿＿＿。

2. 把 小票 出来 拿 你 把
　　＿＿＿＿＿＿＿＿＿＿＿＿＿＿。

3. 以后 你 要 小心 可 了
　　＿＿＿＿＿＿＿＿＿＿＿＿＿＿。

4. 应该 好好儿 谢谢 人家 应该 你
　　＿＿＿＿＿＿＿＿＿＿＿＿＿＿。

5. 不 得 急 知道 才 我 好 怎么办
　　＿＿＿＿＿＿＿＿＿＿＿＿＿＿。

九 根据所给的词语，把下列对话填写完整。Complete the dialogue with the given words.

卡伦：　安德鲁，告诉你一个好消息：我的包找到了。

安德鲁：你说什么？我＿＿＿＿＿＿＿＿＿＿＿＿＿＿＿＿＿＿＿，你能不能说得大声一点儿？
　　　　（V＋不＋Adj）

卡伦：　我说，我的包找到了。

安德鲁：太好了。是怎么找到的？

卡伦：　我打电话给出租车公司。他们说帮我查查，一有消息＿＿＿＿＿＿＿＿。（就）
　　　　刚才＿＿＿＿＿＿＿＿＿＿＿＿＿＿。（已经）

安德鲁：出租车公司的服务真不错。我记得你刚丢包的时候，＿＿＿＿＿＿＿＿＿＿＿＿
　　　　＿＿＿＿＿。（急得……）

卡伦：　是啊，现在终于放心了。

安德鲁：你应该好好谢谢司机师傅。

卡伦：　我谢他了，还给他钱，可是他不要。

安德鲁：那你写封感谢信吧，寄到他们公司去。

卡伦：　糟糕，我忘了他叫什么了。

安德鲁：你＿＿＿＿＿＿＿＿＿＿＿＿＿＿＿＿＿，上面有师傅的车号吧。（把……出来）

十　完形填空。Cloze.

　　在上海旅游的时候，我把书包(1)＿＿＿＿在一个饭店里了，包(2)＿＿＿＿有很(3)＿＿＿＿
的证件、钱包什么的。我急(4)＿＿＿＿不知道怎么办才好。还好我有饭店的小票，
(5)＿＿＿＿有饭店的电话。我给饭店打了电话，饭店服务员说的话我听(6)＿＿＿＿懂。还好
张华的姐姐是上海人，她帮我问了问服务员。服务员说(7)＿＿＿＿有一个客人看到椅子上
的包，就把包交给了饭店。我们(8)＿＿＿＿到饭店去，服务员把包给我。我把包里的东西
拿(9)＿＿＿＿看了看，什么都没少。我真是太高兴了！我想谢谢饭店，他们说不客气，
不过以后我应该(10)＿＿＿＿点儿。这次上海旅行给我留下了美好的回忆（memory）。

(1) A. 丢　　　　　　　B. 留　　　　　　　C. 落

(2) A. 上面　　　　　　B. 下面　　　　　　C. 里面

(3) A. 重要　　　　　　B. 标准　　　　　　C. 直接

(4) A. 的　　　　　　　B. 地　　　　　　　C. 得

(5) A. 下面　　　　　　B. 上面　　　　　　C. 里面

(6) A. 得　　　　　　　B. 了　　　　　　　C. 不

(7) A. 刚　　　　　　　B. 以前　　　　　　C. 刚才

(8) A. 打车　　　　　　B. 下车　　　　　　C. 上车

(9) A. 下来　　　　　　B. 进来　　　　　　C. 出来

(10) A. 开心　　　　　　B. 小心　　　　　　C. 放松

汉字练习　**Chinese Characters**

一　根据拼音写汉字。Write Chinese characters according to *pinyin*.

chēhào　　　shàngmiàn　　　jiàoxùn　　　qīngchǔ

二　选择正确的汉字。Choose the correct Chinese characters.

1. 对不起，我听不_____楚，你可不可以大声一点儿？　（清　请）
2. 你这么_____心，是不是有什么好消息？　　　　　　（开　井）
3. 这家公司的_____务挺不错的。　　　　　　　　　　（服　报）
4. 刚_____他把你的书送回来了。　　　　　　　　　　（才　寸）
5. 糟糕，我把_____件落在家里了。　　　　　　　　　（征　证）

三　找出每组中偏旁不同的字。Find out the Chinese character with the different radical in each group.

例：床　庆　店　应　厌　（厌）

1. 得　行　候　街　往　（　）
2. 刚　别　利　刻　收　（　）
3. 旧　件　什　代　化　（　）
4. 落　花　劳　苦　写　（　）

四　将下列部件组成汉字填在横线上。Compose Chinese characters with the given components.

西　孝　刍　林　扌　示　心　丁　足　攵

1. _____　2. _____　3. _____　4. _____　5. _____

任务 Task

请看下面的三张图片，里面的人为什么这么高兴呢？请你选择其中一张，展开你的想象，用所给词语和句型写一段话。

落   V+得/不+清楚   把+O+拿出来   查   刚才   急得……

_____

_____

_____

_____

_____

_____

第39课　我想请她帮个忙

语法练习　　Grammar

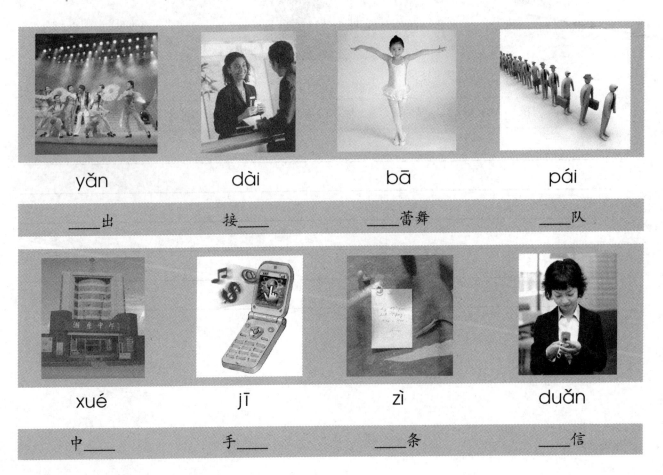

一　看图和拼音，把词语填写完整。Complete the words according to the pictures and *pinyin*.

yǎn　　　　dài　　　　bā　　　　pái

____出　　　接____　　　____蕾舞　　　____队

xué　　　　jī　　　　zì　　　　duǎn

中____　　　手____　　　____条　　　____信

二　选词填空。Fill in the blanks with the appropriate words.

> 负责　弄　心里　说起　转告

1. 他把我的相机_____坏了。

2. 麻烦你＿＿＿＿＿他，刚才出租车司机把他的包送回来了。

3. 我听张华＿＿＿＿过你，她说你是她最好的朋友。

4. 我爸爸的朋友＿＿＿＿＿这次演出，我可以请她帮我们。

5. 你真的说到我的＿＿＿＿＿去了！

三　选择合适的词语，并用"弄+N/弄+Adj"完成句子。Choose the proper words and complete the sentences with "弄+N / 弄+Adj".

票	干净	吃的	懂	脏

1. 糟糕，我把裙子＿＿＿＿＿＿＿＿＿了，还是换一条吧。

2. 房间太脏了，麻烦你把房间＿＿＿＿＿＿＿＿＿，客人就要到了。

3. 今天的语法同学们＿＿＿＿＿＿＿＿＿了没有？如果不懂，下课以后可以问我。

4. 你可以＿＿＿＿＿＿＿＿吗？我们花了三个小时才下山，饿死了。

5. 我对这场演出特别感兴趣。你能帮我＿＿＿＿＿＿＿＿吗？

四　把括号中的词语填入合适的位置。Put the words into the appropriate places.

1. 昨天晚上我A排了三个小时的队B没C买到票。　　　　　　（也）

2. 你A不B早C告诉我呢？　　　　　　　　　　　　　　　（怎么）

3. 我不好意思A让你B请客C。　　　　　　　　　　　　　　（总）

4. 你想请A她B帮C忙吧？　　　　　　　　　　　　　　　　（个）

5. 你知道吗？A她B负责C这次的比赛，所以你可以找她。　　　（就）

五　用"就"或"也"填空。Fill in the blanks with "就" or "也".

1. 我们点的菜太多了，吃了半天＿＿＿＿＿没吃完。

2. 请稍等，菜马上＿＿＿＿＿来。

3. 这次晚会你们想带谁＿＿＿＿＿带谁。

4. 你不知道吗？他＿＿＿＿＿是这次演出的负责人。

5. 别打扰我，我哪儿＿＿＿＿＿不去。

六　用所给的词语完成句子。Complete the sentences with the given words.

1. 昨天我睡了十个小时＿＿＿＿＿＿＿＿＿。（也没）

2. 那边有个小商店，你能帮我＿＿＿＿＿＿＿＿＿吗？（弄）

3. 你没带钱？你＿＿＿＿＿＿＿＿＿呢？我也没带。（怎么……）

4. 麻烦你转告她，_____好吗？我的电话是82304294。（让）

5. _____。他一回来就能看到字条。（这样）

七　将1—5与A—E搭配起来。Match 1–5 with A–E.

1. 他的手机关机了，怎么办？
2. 麻烦你转告她，我们一有消息就通知她。
3. 喝咖啡的时候我把衣服弄脏了，真倒霉。
4. 你怎么不通知我们开会时间呢？我们都不知道。
5. 喂，请问张华在吗？

A. 对不起，我也是刚知道的。
B. 她不在，你哪位？
C. 如果洗不干净，还是买件新的吧。
D. 好的，没问题。
E. 这样吧，你给他发个短信，他一开机就能看到。

1—_____　2—_____　3—_____　4—_____　5—_____

八　将下列词语组成句子。Make up sentences with the following words.

例：吗 可以 我 试试
　　我可以试试吗？

1. 能 我 帮 弄 票 吗 张 你
　　_____?
2. 怎么 早 买 票 不 你 呢
　　_____?
3. 不好意思 我 总 麻烦 你
　　_____。
4. 请问 安德鲁 在 吗 喂
　　_____?
5. 说起 听 她 我 过 你
　　_____。

　根据所给的词语，把下列对话填写完整。Complete the dialogue with the given words.

张华：　喂，＿＿＿＿＿＿＿＿＿＿＿＿＿？（在）

马克：　我就是。是张华吧？

张华：　对，是我。马克，你能帮我个忙吗？

马克：　什么忙？你说吧。

张华：　我想请你帮我翻译一篇英语文章。今天上午我看了半天＿＿＿＿＿＿＿＿
＿＿＿＿＿＿。（也没……）

马克：　好的。你为什么不买一个电子辞典呢？

张华：　我听惠美说起过，那个很贵吧？

马克：　不太贵。我朋友在电子辞典公司工作，要不我让她帮你＿＿＿＿＿＿＿
＿＿＿＿＿？（弄）

张华：　太谢谢你了，真不知道怎么感谢你才好。

马克：　客气什么，等我的消息吧。

张华：　好的。对了，昨天安德鲁把包落在教室里了。＿＿＿＿＿＿＿＿＿＿？（让）

马克：　好。＿＿＿＿＿＿＿＿＿＿＿＿＿。（这样）

张华：　好的。谢谢！

十　完形填空。Cloze.

　　这个星期天北京京剧(1)＿＿＿要在北京剧院演出。我听妈妈(2)＿＿＿过她对京剧特别感兴趣。她的生日快到了，所以我想请她看京剧，给她一个惊喜。可是票特别难买，我排了两个小时的队(3)＿＿＿没买到。我急(4)＿＿＿不知道该怎么办才好。我记得好像有个朋友在北京剧院工作，就给他打了个电话，请他帮我(5)＿＿＿张票。没想到他就(6)＿＿＿这次演出。他知道了我的情况之后说："(7)＿＿＿，我还是弄两张票吧，你跟你妈妈一起去看。"他真是说到我的(8)＿＿＿了。我开心极了，不知道怎么感谢他(9)＿＿＿好。我妈妈从来没去(10)＿＿＿北京剧院，我相信她一定会很高兴的。

(1) A. 队　　　　　　　B. 人们　　　　　　C. 团

(2) A. 记得　　　　　　B. 说起　　　　　　C. 说说

(3) A. 就　　　　　　　B. 也　　　　　　　C. 才

(4) A. 地　　　　　　　B. 了　　　　　　　C. 得

(5) A. 弄　　　　　　　B. 找　　　　　　　C. 做

(6) A. 接待　　　　　　B. 服务　　　　　　C. 负责

(7) A. 这样吧　　　　　B. 哪儿啊　　　　　C. 别客气

(8) A. 心上　　　　　　B. 心下　　　　　　C. 心里

(9) A. 就　　　　　　　B. 才　　　　　　　C. 都

(10) A. 过　　　　　　　B. 了　　　　　　　C. 着

汉字练习　Chinese Characters

一　根据拼音写汉字。Write Chinese characters according to *pinyin*.

máfan　　　xiāoxi　　　guānjī　　　dǎrǎo

二　选择正确的汉字。Choose the correct Chinese characters.

1. 明天晚上中国京剧_____要来演出。　　（困　团）
2. "上有天堂，下有苏杭"这句话我好像听你_____起过。　　（说　况）
3. 你还是再去医院查一查吧，这样才保_____。　　（俭　险）
4. 他没在楼下等着，_____机也关机了。　　（毛　手）
5. 麻烦你_____告她，我已经把照片发到她的邮箱里了。　　（传　转）

三　找出每组中偏旁不同的字。Find out the Chinese character with the different radical in each group.

例：床　庆　店　应　厌　（厌）

1. 责　贵　费　贺　看　（　）
2. 团　困　园　员　国　（　）
3. 却　险　阵　队　降　（　）
4. 麻　庆　厌　应　店　（　）

四　将下列部件组成汉字填在横线上。Compose Chinese characters with the given components.

矢　　走　　自　　口　　广　　才　　心　　豆　　林　　己

1. _____　2. _____　3. _____　4. _____　5. _____

任务　Task

你和卡伦是同屋。今天上午卡伦的朋友打电话找她，卡伦不在。卡伦的朋友请你转告卡伦，她想请卡伦帮她弄一张芭蕾舞演出的票。你马上要去上课，就给卡伦留了个字条，告诉她这件事。请你用所给的词语和句型完成这张字条。

| ……也没…… | 弄+N | 不好意思 | 总 | 帮忙 | 请你+V | 转告 |

卡伦：

　　你的朋友苏珊打电话找你。＿＿＿＿＿＿＿＿＿＿＿＿＿＿＿＿

＿＿＿＿＿＿＿＿＿＿＿＿＿＿＿＿＿＿＿＿＿＿＿＿＿＿＿＿＿＿＿

＿＿＿＿＿＿＿＿＿＿＿＿＿＿＿＿＿＿＿＿＿＿＿＿＿＿＿＿＿＿＿

＿＿＿＿＿＿＿＿＿＿＿＿＿＿＿＿＿＿＿＿＿＿＿＿＿＿＿＿＿＿＿

＿＿＿＿＿＿＿＿＿＿＿＿＿＿＿＿＿＿＿＿＿＿＿＿＿＿＿＿＿＿＿

＿＿＿＿＿＿＿＿＿＿＿＿＿＿＿＿＿＿＿＿＿＿＿＿＿＿＿＿＿＿＿

　　　　　　　　　　　　　　　　　　　　　惠美

　　　　　　　　　　　　　　　　　　　　　2008年12月28日

第40课 真抱歉，我来晚了

语法练习 　Grammar

一　看图和拼音，把词语填写完整。Complete the words according to the pictures and *pinyin*.

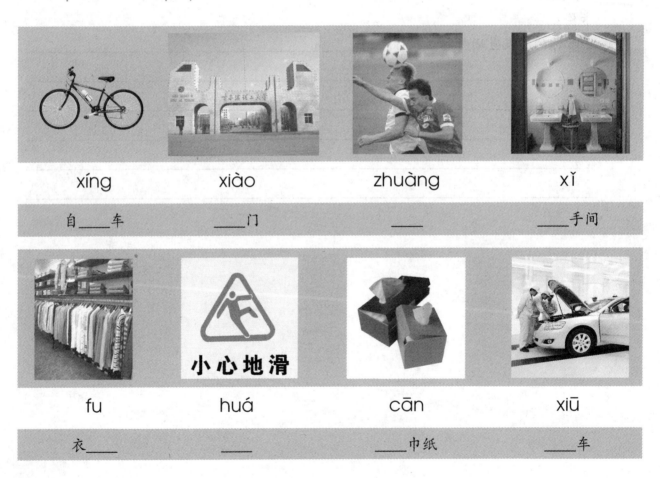

xíng　　　　　　xiào　　　　　　zhuàng　　　　　　xǐ

自____车　　　____门　　　　____　　　　____手间

fu　　　　　　huá　　　　　　cān　　　　　　xiū

衣____　　　____　　　____巾纸　　　____车

二　选词填空。Fill in the blanks with the appropriate words.

伤　好在　洒　怪　坏

1. 我记得是她把你的相机弄_____的。

2. 他说的话我听不懂，_____我朋友懂英语，她帮我翻译了一下。

3. 都_____我不小心，作业让我弄脏了。

4. 听说你被车撞了，_____着没有？

5. 真倒霉，这么好的茶让我碰_____了！

三 把括号中的词语填入合适的位置。Put the words into the appropriate places.

1. 昨天晚上A我B另一辆自行车C撞了。 （被）

2. A我B被汽车C撞伤，但是我的自行车被撞坏了。 （没）

3. 牛仔裤A我B弄C脏了。 （让）

4. A我B到上海C，手机就让人偷了。 （刚）

5. 下楼的时候我不小心滑了一下儿，水A让我B碰C了。 （洒）

四 用"没"或"不"填空。Fill in the blanks with "没" or "不".

1. 电子词典_____被借走，还在包里面呢。

2. 对不起，你说的话我听_____清楚，你能不能说英语？

3. 上次在杭州照的照片还_____洗出来呢。

4. 明天下午的足球比赛我看_____了，我要在宿舍等特快专递。

5. 我排了三个小时的队也_____买到票。

五 选择合适的问句或者答句。Choose the appropriate questions or answers.

1. A：你总算到了，_____？
   B：我刚出校门，手机就被人偷走了。
   □ 怎么回事
   □ 怎么了事

2. A：你怎么这么不高兴？
   B：_____。
   □ 我的相机被弄坏了。
   □ 我的相机让弄坏了。

3. A：哎？我的课本呢？怎么不见了？
   B：_____？
   □ 你的课本不是被惠美弄脏了吗
   □ 你的课本不是被惠美借走了吗

4. A：_____？
   B：没有。
   □ 你想起来把词典放哪儿了吗
   □ 你想出来把词典放哪儿了吗

5. A：听说今天你请客？
   B：哪儿啊，昨天_____。我现在没钱了。
   □ 我的钱包让偷走了
   □ 我的钱包被偷走了

用所给的词语完成句子。 Complete the sentences with the given words.

1. 不好意思，上星期我的词典＿＿＿＿＿＿＿＿＿＿＿，现在还在她那儿呢。（被）
2. 苹果＿＿＿＿＿＿＿＿＿＿＿，明天你再买一些回来吧。（让）
3. 数码相机＿＿＿＿＿＿＿＿＿＿＿，我准备去修一下。（叫）
4. ＿＿＿＿＿＿＿＿＿＿＿。我还没复习呢。（想起来）
5. ＿＿＿＿＿＿＿＿＿＿＿，把衣服弄脏了。（都怪我）

七 将1—5与A—E搭配起来。 Match 1–5 with A–E.

1. 真抱歉，我来晚了。
2. 你的手怎么了？
3. 你想得起来想不起来这个汉字怎么读？
4. 这个寒假你还回国吗？
5. 我想起来了，我的那本书被安德鲁借走了。

A. 哪儿啊，他已经把书还给你了。
B. 我想不起来了。
C. 你总算到了，怎么回事？
D. 我不回国，我另有计划。
E. 别提了，上午我刚出教室就滑倒了，把手弄伤了。

1—＿＿＿＿　　2—＿＿＿＿　　3—＿＿＿＿　　4—＿＿＿＿　　5—＿＿＿＿

八 根据所给的词语，把下列对话填写完整。 Complete the dialogue with the given words.

张 华：卡伦，我都等了你半天了，你怎么才到？
卡 伦：别提了，我刚出门就滑倒了，真倒霉。
张 华：真的？那你没伤着吧？
卡 伦：没伤着。但是手机＿＿＿＿＿＿，（被）衣服也＿＿＿＿＿＿。（让）
张 华：人没伤着就好。你的手机呢？
卡 伦：在这儿。＿＿＿＿＿＿。（都怪我）我打算把手机送去修一下。我记得学校
　　　　旁边有一个修手机的地方，你知道在哪儿吗？
张 华：我听惠美说起过那个地方，可是我想不起来在哪儿了。
卡 伦：没关系，你想起来了就告诉我。对了，今天让你久等了，＿＿＿＿＿＿，我
　　　　请你吃饭吧。（为了）
张 华：客气什么。对了，我＿＿＿＿＿＿。（想起来）

卡 伦： 在超市旁边？那么离这儿不远吧？

张 华： 对。要不我先陪你去那儿修手机吧。你说呢？

卡 伦： 那太好了，真不知道怎么感谢你才好。

九 完形填空。Cloze.

　　这个星期天俄罗斯芭蕾舞团来北京演出，我跟卡伦一起去看演出。我的自行车被安德鲁借(1)_____了，所以我们坐公共汽车去。我在校门口等了卡伦半天，她一直没来。我不知道是怎么(2)_____事。(3)_____要给她电话，她来了。她穿着一条牛仔裤，裤子有点脏。我问她怎么了，她告诉我她下楼的时候被一个手里拿着咖啡的姑娘(4)_____了，咖啡被碰(5)_____了，她的裤子(6)_____弄脏了，手机也弄(7)_____了，(8)_____人没伤着。撞她的人为了表示(9)_____，把自己的(10)_____一个手机送给了她。

(1) A. 出 　　　　　　 B. 走 　　　　　　 C. 来

(2) A. 回 　　　　　　 B. 是 　　　　　　 C. 了

(3) A. 刚才 　　　　　 B. 刚 　　　　　　 C. 以前

(4) A. 滑 　　　　　　 B. 擦 　　　　　　 C. 撞

(5) A. 洒 　　　　　　 B. 出 　　　　　　 C. 完

(6) A. 让 　　　　　　 B. 叫 　　　　　　 C. 被

(7) A. 坏 　　　　　　 B. 脏 　　　　　　 C. 好

(8) A. 好像 　　　　　 B. 好好 　　　　　 C. 好在

(9) A. 感谢 　　　　　 B. 欢迎 　　　　　 C. 歉意

(10) A. 再 　　　　　　 B. 另 　　　　　　 C. 还有

汉字练习 Chinese Characters

一 根据拼音写汉字。Write Chinese characters according to *pinyin*.

bàoqiàn	qí	diànzǐ	mǎmǎhūhū

二 选择正确的汉字。Choose the correct Chinese characters.

1. 你_____算到了，怎么才来？ （兑 总）
2. 我们都等急了，快_____坏了。 （俄 饿）
3. 今天我怎么这么_____呢？我下楼去喝点咖啡。 （困 因）
4. 劳驾，麻烦你帮我买_____茶好吗？ （坏 杯）
5. 我去楼下小_____部买点吃的来，你等一会儿。 （买 卖）

三 找出每组中偏旁不同的字。Find out the Chinese character with the different radical in each group.

例：床 庆 店 应 厌 （厌）

1. 驾 骑 验 冯 鸡 （ ）
2. 辆 传 轮 轻 较 （ ）
3. 问 同 间 闭 闲 （ ）
4. 碰 破 研 碎 吃 （ ）

四 将下列部件组成汉字填在横线上。Compose Chinese characters with the given components.

木 音 月 扌 礻 庄 交 察 心 皮

1. _____ 2. _____ 3. _____ 4. _____ 5. _____

任务 Task

看下面的图片，他们怎么了？选择一张图片展开你的想象，用所给词语和句型写一段话。

刚…… 被+V+RC 让+O+V+RC 都怪…… 为了……

_____

_____

_____

_____

_____

_____

_____

_____

语法练习 Grammar

一　看图和拼音，把词语填写完整。Complete the words according to the pictures and *pinyin*.

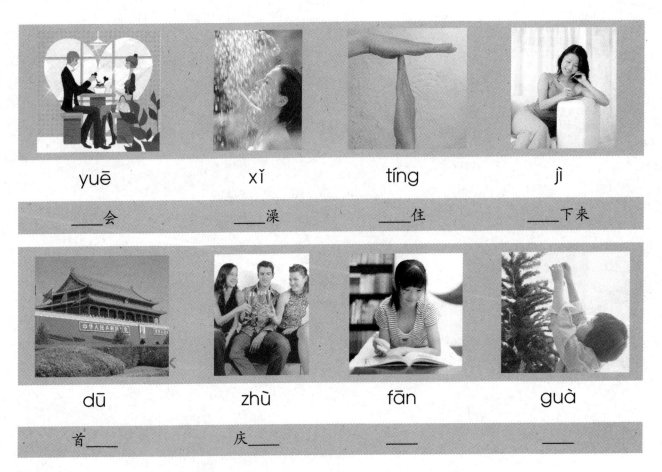

yuē　　　　xǐ　　　　tíng　　　　jì

____会　　　____澡　　　____住　　　____下来

dū　　　　zhù　　　　fān　　　　guà

首____　　　庆____　　　____　　　____

二　选词填空。Fill in the blanks with the appropriate words.

约　白　趟　翻　挂　差点儿　过意不去

1. 今天我去了一_____书店。

2. 真_____，你的自行车钥匙被我弄丢了。

3. 你看，钥匙在自行车上_____着呢。

4. 我今天_____好跟李明在图书馆门口见面。

5. 我把口袋都_____遍了也没找到钥匙。

6. 你怎么不早说呢，让我_____等了一个上午。

7. 多亏你告诉我了，我_____错怪李明。

三　把括号中的词语填入合适的位置。Put the words into the appropriate places.

1. 今天我跟李明A约B在图书馆辅导C汉语。　　　　　（好）

2. 我在图书馆门口A等了B他C，他也没来。　　　　　（半天）

3. 李明说，他A再B给你C打电话的。　　　　　　　　（会）

4. 真过意不去，你的自行车钥匙A我B弄丢了C。　　　（被）

5. 我A最近B怎么C丢三落四的。　　　　　　　　　　（总是）

6. 钥匙A在我这儿呢，我B要给你C打电话呢。　　　　（正）

四　用"趟"、"遍"或"次"填空。Fill in blanks with "趟", "遍" or "次".

1. 我想再听一_____课文录音。

2. 你有空儿的时候能来我家一_____吗?

3. 来中国以后，我们吃过三_____烤鸭。

4. 这本小说真有意思，我想再看一_____。

5. 那个地方我都跑了两_____了。

6. 我第一_____看见他就喜欢他。

7. 听不清楚你说的话，请再说一_____，好吗?

8. 中国历史博物馆我去过一_____。

五　选择正确的答案。Choose the appropriate alternatives.

1. 李明_____我转告你，今天他有事，
不能给你辅导了。
A. 替
B. 帮
C. 让

2. 他来电话的时候我正在洗澡，
没来得及记_____。
A. 起来
B. 出来
C. 下来

3. 李明说，他_____再给你打电话的。
   A. 能
   B. 会
   C. 想

4. 卡伦的钥匙怎么_____在你那儿？
   A. 要
   B. 能
   C. 会

5. 马克突然想_____钥匙还没还给
   卡伦呢。
   A. 出来
   B. 下来
   C. 起来

6. 我_____口袋都翻遍了，也没找到
   钥匙。
   A. 被
   B. 让
   C. 把

7. 真不好意思，你的自行车钥匙_____
   我弄丢了。
   A. 把
   B. 叫
   C. 替

8. "多亏你告诉我了，我差一点儿错
   怪李明。"这句话的意思是_____。
   A. 她没错怪李明。
   B. 她错怪李明了。
   C. 她也不知道错怪李明了没有。

六　仿照例句，用所给的词语改写句子。Follow the example and rewrite the sentences with the given words.

例：昨天他来电话的时候我正在洗澡，没时间记下来。
　　昨天他来电话的时候我正在洗澡，没来得及记下来。（来得及）

1. 你怎么不早说呢，让我等了那么长时间。
   _____。（白）

2. 多亏你告诉我了，我才没错怪李明。
   _____。（差一点儿）

3. 你的自行车钥匙被我弄丢了。
   _____。（把）

4. 我把口袋都翻过了也没找到。
   _____。（遍）

5. 卡伦，真不好意思，你的自行车钥匙被我弄丢了。
   _____。（过意不去）

6. 我最近怎么总是丢了这个，找不到那个。
   _____。（丢三落四）

　用所给的词语完成对话。Complete the dialogues with the given words.

1. A：你在找什么呢？
   B：_____。（钥匙）
2. A：卡伦，你怎么了？
   B：_____。（别提了）
3. A：先生，别忘了拿你的包。
   B：_____。（差点儿）
4. A：你的自行车呢？
   B：_____。（被）
5. A：那个地方你去过吗？
   B：_____。（三趟）

八　根据课文内容，判断下列句子的对错。Decide whether the following sentences are true or false according to Text 1 and 2.

1. 卡伦今天不高兴。（　　）
2. 惠美在图书馆门口等李明，可是李明没有来。（　　）
3. 昨天晚上，李明给卡伦打电话。（　　）
4. 昨天李明来电话的时候，卡伦正在洗澡。（　　）
5. 卡伦的自行车钥匙在安德鲁那儿。（　　）
6. 马克把自行车停在宿舍楼后边了。（　　）
7. 马克把自行车钥匙还给了卡伦。（　　）

九　完形填空。Cloze.

　　马克今天去了一(1)_____书店，他借卡伦的自行车用了一下儿。回来的(2)_____候，他把自行车(3)_____在卡伦的宿舍楼前边了。回到宿舍，他(4)_____然想起来钥匙还没有还给卡伦呢。可是，钥匙却不见了。马克翻(5)_____了身上所有的口袋也没找到。他觉得自己最(6)_____总是丢三落四的。

汉字练习　**Chinese Characters**

一 根据拼音写汉字。Write Chinese characters according to *pinyin.*

shēngqì	tūrán	xǐzǎo	tíng

二 选择正确的汉字。Choose the correct Chinese characters.

1. 今天_____好跟李明在图书馆辅导。　　　　　（均　约）
2. 对不起，我忘告_____你了。　　　　　　　　（诉　拆）
3. 昨天他来电话的时候我正在洗澡，没来得及_____下来。　（纪　记）
4. 他会_____给你打电话的。　　　　　　　　　（在　再）
5. 真是过意不去，你的自行车钥匙被我弄_____了。　（去　丢）
6. 我把口袋都翻_____了也没找到自行车钥匙。　（骗　遍）

三 给下列动词搭配宾语。Fill in objects for the given verbs.

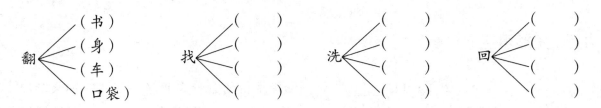

阅读　**Reading**

　　人们都喜欢用"马虎"来形容那些丢三落四、粗(cū)心大意的人，却不知在这个词的背(bèi)后，有一个伤(shāng)心的故事。

　　宋(sòng)代时有一个画家，作画的时候往往想怎么画就怎么画，让人弄不清他画的究竟是什么。一次，他刚画好一个老虎的头，碰上有人来请他画马，他就随手在虎头后画上马的身子。来的人问他画的是马还是虎，他回答："马马虎虎！"来的人不想要，他就把画挂在厅堂里。大儿子见了，问他画里是什么，他说是虎，二儿子问他时，他却说是马。

不久，大儿子外出打猎(liè)时，把人家的马当成老虎，给射(shè)死了，画家不得不给马的主人赔(péi)钱。他的小儿子外出碰上老虎，却以为是马，想去骑，结果被老虎咬(yǎo)死了。画家非常伤心，把画烧了。从此，"马虎"这个词就流传(chuán)开了。

根据文章判断下列句子的对错。Decide whether the following sentences are true or false according to the passage.

1. "马虎"这个词宋代就有了。（　　）
2. 这个画家是一个很认真的人，但是别人搞不清他画的是什么。（　　）
3. 来人不要他的画，是因为他画得不好看。（　　）
4. 大儿子不小心射死了人家的马。（　　）
5. 小儿子不怕老虎，所以才去骑。（　　）

任务 Task

你怎么理解丢三落四？你是丢三落四的人吗？写一下发生在你身上或者你身边的丢三落四的事。

_____

_____

_____

_____

_____

_____

第42课 看来，你已经习惯 这里的生活了

语法练习　Grammar

一　看图和拼音，把词语填写完整。Complete the words according to the pictures and *pinyin*.

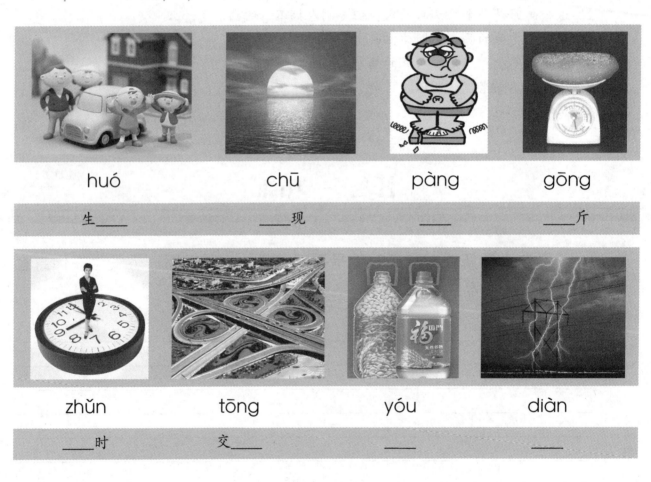

huó

生____

chū

____现

pàng

____

gōng

____斤

zhǔn

____时

tōng

交____

yóu

____

diàn

____

二　选词填空。Fill in the blanks with the appropriate words.

从来　也许　尤其　出现　交通　习惯　准时

1. 你已经_____这里的学习和生活了吗?

2. 我喜欢吃中国菜，_____是烤鸭。

3. 最近，我的身体又_____了新问题。

4. 他每天上课都很_____。

5. 他_____不喜欢晚上熬夜。

6. 他_____有什么急事，来不了了。

7. 现在的_____真是让人头疼。

三 把括号中的词语填入合适的位置。Put the words into the appropriate places.

1. 刚来中国的时候，什么都不太习惯，现在A好B了C。 （多）

2. 中餐是比较油腻，A外国人B来的时候都C不太习惯。 （刚）

3. 我A比刚来中国的时候B胖了C。 （五公斤）

4. 马克A还B没C来啊？ （怎么）

5. 他无论A睡得B晚C，第二天都会准时去上课。 （多）

6. A我B没去过上海C，这次一定要去。 （从来）

四 用"尤其"或"特别"填空。Fill in the blanks with "尤其" or "特别".

1. 你今天穿的这件衣服真_____。

2. 我喜欢吃中国菜，_____是鱼香肉丝和烤鸭。

3. 我的同学惠美是一个很_____的姑娘。

4. 我很喜欢看电影，_____是美国的大片。

5. 留学生都_____喜欢学习中国的太极拳。

五 选择正确的答案。Choose the appropriate alternatives.

1. 中国菜太腻了，油太多，吃不_____。
   A. 下来
   B. 下去
   C. 上来

2. 马克_____还没来呀？他每天上课都很准时啊。
   A. 什么
   B. 那么
   C. 怎么

3. 安德鲁上课_____不迟到。
   A. 以来
   B. 过来
   C. 从来

4. 他_____睡得多晚，第二天都会准时来上课。
   A. 虽然
   B. 无论
   C. 不但

5. 马克一定是有什么急事，_____了。
　　A. 来不了
　　B. 来不来
　　C. 来不到

6. 现在的交通真_____人头疼。
　　A. 被
　　B. 让
　　C. 把

7. 不是他忘带手机了，_____他的手机没电了。
　　A. 还是
　　B. 可是
　　C. 就是

8. 下面哪句话是错的？_____
　　A. 是不是你没带词典？
　　B. 你是不是没带词典？
　　C. 你是没带词典不是？

六 用所给的词语完成句子。Complete the sentences with the given words.

1. _____，我们都坚持锻炼身体。（无论）
2. 我喜欢吃中国菜，_____。（尤其）
3. 时间过得真快啊，_____。（转眼）
4. 现在我_____。（越来越）
5. 他_____。（从来）
6. 她_____，所以没来上课啊？（是不是）

七 用所给的词语完成对话。Complete the dialogues with the given words.

1. A：你最近是不是长胖了？
　　B：_____。（比）

2. A：你已经习惯这里的生活了吗？
　　B：_____。（对……还不习惯）

3. A：你喜欢吃中国菜吗？
　　B：_____。（尤其）

4. A：你觉得四川菜怎么样？
　　B：_____。（吃不惯）

5. A：你去过上海吗？
　　B：_____。（从来）

6. A：马克怎么还没有来啊？
　　B：_____？（是不是）

根据课文内容，把下列句子按照正确的顺序排列。Reorder the following sentences according to Text 1.

1. 我越来越喜欢吃中餐了，不过又出现了一个新问题。
2. 看来，我真的习惯这里的生活了。
3. 现在好多了，我已经习惯这里的学习和生活了。
4. 中国人说"心宽体胖"。
5. 我比刚来的时候胖了五公斤。
6. 时间过得真快啊，转眼来北京已经半年多了。
7. 刚来的时候，我什么都不太习惯，尤其吃不惯中国菜。

_____

九 完形填空。Cloze.

我已经学了三个多月的汉语了。每天上午，我都要(1)_____自行车准时去学校上课，从来不缺课，不迟到。我(2)_____学习汉语非常感兴趣，(3)_____其是汉字。我觉得汉字越学越有意思。现在，我已经会写六百多个汉字了。虽然我知道的汉字还不多，但是我会继续努力的。四年的汉语学习结(4)_____以后，我希望能留在中国工作。我喜欢中国的传统文化和名胜古迹，我还特别喜欢吃中国菜。我相(5)_____，每一个来过中国的外国朋友都不会忘(6)_____中国。

汉字练习 Chinese Characters

一 根据拼音写汉字。Write Chinese characters according to *pinyin*.

xíguàn	chūxiàn	zhǔnshí	jiāotōng

二 　选择正确的汉字。Choose the correct Chinese characters.

1. 时间过得真快啊，＿＿＿＿＿眼来北京已经半年多了。 （传 转）
2. 刚来的时候，什么都不太习惯，＿＿＿＿＿其是吃不惯中国菜。 （龙 尤）
3. 中餐是比＿＿＿＿＿油腻，外国人不太习惯。 （较 校）
4. 我比刚来的时候胖了五＿＿＿＿＿斤。 （公 工）
5. 他每天上课都很＿＿＿＿＿时。 （淮 准）
6. 他无＿＿＿＿＿睡得多晚，第二天都会去上课。 （抡 论）

三 　给下列动词搭配宾语。Fill in objects for the given verbs.

阅读　Reading

　　俗话说"心宽体胖"。这里所说的"胖"并不是指肥胖，而是指身体健壮(zhuàng)。事实证明，心宽者不仅身体健壮，而且心理也健康。相反，那些小心眼儿的人，往往听不进去别人对自己的意见，经不起挫折(cuòzhé)和失败(shībài)，比起心宽的人，他们更容易得病，尤其是与精神有关系的疾病。

　　令人不快和烦恼(fánnǎo)的事情，几乎会发生在每个人的工作或生活中，但它们作用于不同人的身上，结果却大不一样。如果是心宽的人，就不会过于计较生活小事，他们严格要求自己，对别人却比较宽容。在他们看来，遇到点麻烦、吃了些亏(kuī)没什么了不起，是很自然很正常的事。因此，这类人在一般的困难和挫折面前，内心不会引起强烈的变化，对身心健康也就没有大的影响。

　　小心眼儿的人应该把心放得宽一些，因为心宽不只会体胖，更会身壮。

选择正确答案。Choose the appropriate alternatives.

1. "心宽体胖"的"胖"是什么意思？＿＿＿＿＿
　　A. 肥胖　　　　　　　　B. 健康　　　　　　　　C. 健壮

2. 什么样的人容易得与精神有关系的疾病？
    A. 心宽的人　　　　　　　　　B. 小心眼儿的人　　　　　C. 不知道
3. 心宽的人在面对困难和挫折时，_____。
    A. 内心会引起强烈的变化
    B. 内心不会变化，对身心健康没有影响
    C. 内心不会引起强烈的变化，对身心健康有不太大的影响
4. 下面哪句话是不正确的？_____
    A. 心宽的人不容易得病。
    B. 心宽的人听不进去别人的意见。
    C. 心宽的人对别人比较宽容。

任务　Task

　　你会做中国菜吗？自己动手做一个简单又好吃的中国菜"西红柿(shì)炒鸡蛋"给你的朋友们尝一尝吧。根据下面的图片，简单写一下这道菜的制作过程。

_____

_____

_____

_____

_____

_____

_____

第43课 看样子要下雨了

语法练习　Grammar

一 看图和拼音，把词语填写完整。Complete the words according to the pictures and *pinyin.*

yīn	guā	qíng	yún
____天	____风	____	____

jiào	sǎn	chūn	shā
____室	____	____天	____尘暴

二 选词填空。Fill in the blanks with the appropriate words.

原因　肯定　保护　本来　破坏　举办　原来　估计

1. 天阴了，风也越来越大，_____要下雨了。

2. 要是在半路上下起雨来，咱们俩_____被淋成落汤鸡。
3. 春天来了，_____应该很开心的，可是北京的风太大了。
4. 环境被_____得越来越严重了。
5. 沙尘暴产生的_____之一是因为环境被破坏了。
6. _____的北京可不是这样。
7. 2008年8月，北京成功_____了第二十九届奥运会。
8. 环境是我们大家的，所以我们要努力_____环境。

三 把括号中的词语填入合适的位置。Put the words into the appropriate places.

1. 天阴了，A要B下雨了C。　　　　　　　　　　（看样子）
2. A我B把伞C放在书包里。　　　　　　　　　　（总）
3. 他们一见面就聊A起B来C。　　　　　　　　　（天）
4. A办一个绿色奥运会，B我们要把环境C治理好。（为了）
5. 环境A被破坏B越来越C严重了。　　　　　　　（得）
6. 风越刮越大，A雨会B下得很大C。　　　　　　（看起来）

四 用"原来"或"本来"填空。Fill in the blanks with "原来" or "本来".

1. 我_____不想告诉你这件事情的。
2. 这件衣服洗了很多次了，看不出来_____的颜色了。
3. _____的北京可不是现在这样。
4. 我_____打算今天晚上去看电影。
5. 我以为是卡伦来的电话，_____是惠美打来的。

五 选择正确的答案。Choose the appropriate alternatives.

1. 要是在半路上_____，咱们俩肯定
被淋成落汤鸡了。
A. 下起来雨
B. 下雨起来
C. 下起雨来

2. 因为常常下雨，所以我总_____伞
放在包里。
A. 让
B. 把
C. 叫

3. 今年的春天_____来了，天气也越来
越暖和了。
A. 总是
B. 总要
C. 总算

4. 环境被破坏得越来越严重，这是
_____沙尘暴的重要原因之一。
A. 产生
B. 发生
C. 出生

5. 为了_____一个绿色奥运会，我们要把环境治理好。
   A. 干
   B. 做
   C. 办

六 依照例句，用所给的词语完成句子。Follow the example and complete the sentences with the given words.

1. 颐和园是北京有名的公园之一。
   马克是我们班_____。（之一）
2. 我以为今天是星期二，原来是星期三。
   我以为这本书是惠美的，_____。（原来）
3. 我本来打算去上海旅行，结果去了海南。
   运动会_____，因为下雨推迟到明天了。（本来）
4. 春天来了，再也不用穿厚厚的衣服了。
   有新房子了，_____。（再也不）
5. 你们的汉字越写越漂亮。
   环境破坏得_____。（越来越）
6. 天阴了，看样子要下雨了。
   他满头大汗，_____。（看样子）

七 用所给的词语完成对话。Complete the dialogues with the given words.

1. A：天阴了，风也越刮越大。
   B：_____。（看起来）
2. A：你带雨伞了没有？
   B：_____。（着呢）
3. A：你的雨伞呢？
   B：_____。（把）
4. A：为什么北京会有沙尘暴呢？
   B：_____。（越来越）
5. A：你假期不是要去旅行吗？怎么没去呢？
   B：_____。（本来）
6. A：北京的春天总刮大风吗？
   B：_____。（原来）

根据课文内容，判断下列句子的对错。Decide whether the following sentences are true or false according to Text 1.

1. 晴转多云是指由晴天变成阴天。（ ）
2. 雷阵雨是指雨下的时间比较短。（ ）
3. 落汤鸡是指掉在汤里的鸡。（ ）
4. 安德鲁的伞常常放在书包里。（ ）
5. 马克也天天带着雨伞。（ ）
6. 沙尘暴是指刮风的时候有很多沙子。（ ）
7. 环境被破坏是产生沙尘暴的唯一原因。（ ）
8. 北京以前没有沙尘暴。（ ）

九 完形填空。Cloze.

今年的春天总算来了，天气也越来越暖(1)＿＿＿了。我们再也不用穿厚厚的衣服了。春天来了，本来应该很开(2)＿＿＿的，可是，北京的风太大了。有时还有沙尘暴。北京为什么会有沙尘暴呢？现在环境被(3)＿＿＿坏得越来越严重，这是产生沙尘暴的重(4)＿＿＿原因之一。原来的北京可不是这样。我们要保(5)＿＿＿环境。环境是我们大家的，我们都应该努力。再说北京还要(6)＿＿＿办奥运会呢。为了办一个绿色奥运会，我们要把环境治理好。

汉字练习　Chinese Characters

一 根据拼音写汉字。Write Chinese characters according to pinyin.

huánjìng	kěndìng	bǎohù	jǔbàn

二 选择正确的汉字。Choose the correct Chinese characters.

1. 天_____了，看样子要下雨了。　　　　（阴　阳）
2. 今天是_____转多云，不会下雨的。　　（晴　晴）
3. _____计是雷阵雨，来得快去得也快。　（诂　估）
4. 我以后也应该_____你一样，天天带着雨伞。（象　像）
5. 春天来了，天气也越来越_____和了。　（暖　暖）
6. 环_____被人类破坏得越来越严重了。　（境　境）

三 画线连成动宾词组。Match the verbs with the proper objects.

治理	节日		举办	博物馆
保护	动物		破坏	方法
管理	环境		改变	错误
安排	名胜古迹		改正	房间
庆祝	工厂		打扫	晚会
游览	工作		参观	环境

阅读　Reading

经过有关部门的统计，60年代特大沙尘暴在我国发生过8次，70年代发生过13次，80年代发生过14次，而1990年至2003年发生过20多次，并且波及的范围越来越广，造成的损失(sǔnshī)越来越严重。90年代以来，我国北方多次出现大风天气。其中，甘肃、陕西、宁夏、内蒙古等地区**相继**遭大风和沙尘暴袭击(xíjī)，给这些地区的人民生活和生产造成严重损失。2000年3月22日至23日，内蒙古出现大面积沙尘暴天气，部分沙尘被大风携至(xiézhì)北京上空，加重了扬沙的程度。3月27日，沙尘暴又一次袭击北京城。正在安翔里小区一座两层楼楼顶工作的7名工人被大风刮下，两人当场死亡(sǐwáng)。一些广告牌被大风刮倒，砸伤行人，砸(zá)坏车辆。2002年3月18日至21日，20世纪90年代以来范围最大、强度最强、影响最严重、持续时间最长的沙尘天气过程袭击了我国北方140多万平方公里的大地，影响人口达1.3亿。

选择正确答案。Choose the appropriate alternatives.

1. 80年代我国发生过_____次沙尘暴。
   A. 8次　　　　　　B. 20多次　　　C. 14次

2. 文章中提到我国_____地区发生过沙尘暴。

    A. 四个　　　　　　B. 五个　　　　　　C. 六个

3. 在安翔里小区工作的工人发生伤亡事件是哪一年？_____。

    A. 2000年　　　　　B. 2002年　　　　　C. 不知道

4. "相继"在文章中的意思是_____。

    A. 互相　　　　　　B. 一起　　　　　　C. 一个接一个

任务　Task

    找一些关于环境的图片，说说你身边的环境问题。例如：环境的变化、破坏、保护和治理。关于保护环境，你有什么好建议吗？

_____

_____

_____

_____

_____

_____

第44课 她好像有什么心事

语法练习 Grammar

一 看图和拼音，把词语填写完整。Complete the words according to the pictures and *pinyin*.

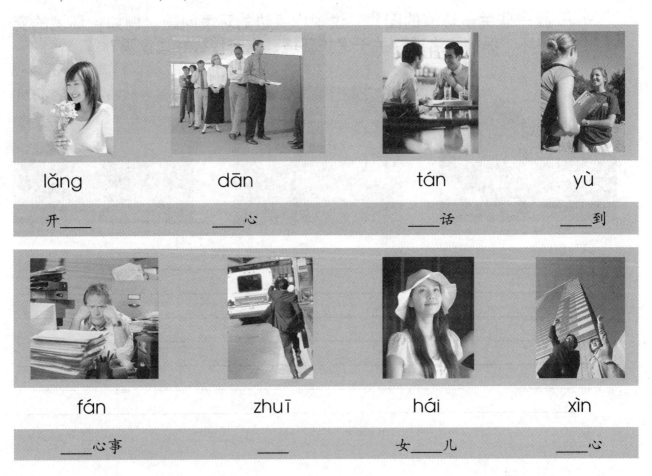

lǎng
开____

dān
____心

tán
____话

yù
____到

fán
____心事

zhuī
____

hái
女____儿

xìn
____心

二 选词填空。Fill in the blanks with the appropriate words.

好像　放心　开朗　担心　遇到　理　敢　办法

1. 刚才课间我叫卡伦，她不_____我，是不是生气了？

2. 我觉得卡伦_____有什么心事。

3. 卡伦是一个_____的姑娘，不会生气的。

4. 你有什么心事就说出来，大家一起想想_____。

5. 我_____这次听写的成绩不好，老师会批评我。

6. 你_____吧，我有信心把汉字学好。

7. 马克最近是不是_____了什么烦心事？

8. 马克有喜欢的女孩儿了，可是又不_____追。

三 把括号中的词语填入合适的位置。Put the words into the appropriate places.

1. A课间B我叫卡伦C，她不理我，是不是生气了？　　（刚才）

2. 老师生词念得太快，我A写B下C来。　　　　　　　（不）

3. 惠美，卡伦A什么B事C吧？　　　　　　　　　　　（没）

4. 怪不得最近我看A卡伦B在努力地C练习汉字。　　　（整天）

5. 看卡伦的样子，很有A信心B汉字C学好。　　　　　（把）

6. 今天马克怎么没来？A不会B堵车了吧C？　　　　　（又）

四 用"什么"或"怎么"填空。Fill in the blanks with "什么" or "怎么".

1. 卡伦最近_____了？是不是生气了？

2. 你是不是有_____心事？

3. 你有_____好办法？

4. 今天马克_____没来上课？

5. 他最近是不是遇到了_____烦心事？

6. 那他喝_____闷酒呢？喜欢就大胆追呗。

7. 老师念得太快，我_____也写不下来。

8. 其实也没_____，就是听写的成绩总是不太好。

五 选择正确的答案。Choose the appropriate alternatives.

1. 刚才课间我叫她，她不理我。
   这句话中"理"的意思是____。
   A. 理解
   B. 管理
   C. 理睬（cǎi）

2. 我觉得她好像有什么心事。回头你问问她。这句话中"回头"的意思是____。
   A. 以前
   B. 以后
   C. 现在

3. 你有什么心事就说_____，大家
   一起想办法！
   A. 下来
   B. 起来
   C. 出来

4. 老师念得太快，我_____。
   A. 写不下去
   B. 写不下来
   C. 不写下来

5. 看到卡伦有信心把汉字学好，我
   就放心了。和"放心"意思相反
   的词是_____。
   A. 信心
   B. 细心
   C. 担心

6. 马克刚才给我_____短信。
   A. 寄
   B. 打
   C. 发

7. 马克可能有喜欢的女孩儿了，
   但是又不敢说_____。
   A. 起来
   B. 下去
   C. 出来

8. 那马克喝什么闷酒呢？这句话中的
   "闷酒"是指_____。
   A. 高兴的酒
   B. 生气的酒
   C. 不开心的酒

六 选择合适的问句或者答句。Choose the appropriate questions or answers.

1. A：卡伦最近怎么了？
   B：_____？
   □没什么啊。什么了
   □没怎么啊。怎么了

2. A：卡伦不理我，是不是生气了？
   B：_____？
   □怎么可能呢
   □怎么不可能呢

3. A：卡伦，你是不是有什么心事？
   B：_____。
   □咳，其实也没怎么
   □咳，其实也没什么

4. A：_____？
   B：他昨天喝酒了，今天起晚了。
   □马克怎么来了
   □马克怎么没来

5. A：我刚才叫你，你怎么不理我？
   B：_____。
   □我没听见你叫我
   □我听不见你叫我

七 仿照例句，用所给的词语完成句子。Follow the example and complete the sentences with the given words.

1. 我觉得她好像有什么心事。

   我觉得妈妈_____。（好像）

2. 回头我跟他谈谈。

   _____。（回头）

3. 我觉得他是北京人，其实他是上海人。

   很多留学生都觉得汉字很难，_____。（其实）

4. 怪不得最近我看她整天在努力地练习汉字。

   _____。（怪不得）

5. 今天马克怎么没来上课？

   昨天你_____？（怎么没）

6. 他的眼睛红红的，看样子，昨天没睡好。

   他的听写成绩不太好，_____。（看样子）

八 选择合适的词语填空。Choose the appropriate words to fill in the blanks.

1. 卡伦最近_____了？　　　　　　　　　　　　（什么　怎么）

2. _____课间我叫卡伦，她不理我，是不是生气了？（刚刚　刚才）

3. 卡伦_____开朗，不会生气的。　　　　　　　（多么　那么）

4. 有什么心事就说_____，大家一起想办法啊。（出来　出去）

5. _____也没什么，就是听写的成绩总是不好。（其实　真实）

6. 别_____，我有好办法。　　　　　　　　　　（放心　担心）

7. 怪不得最近我看她_____在努力地练习汉字。（全天　整天）

8. 他是不是_____了什么烦心事？　　　　　　　（看到　遇到）

九 完形填空。Cloze.

　　有人(1)_____过，一个人的一生中，这样那样的零星杂事得花去很多时间。例如：如果一个人的(2)_____年龄是70岁，那就是说，可以活25000多天。要是这个人每天用于(3)_____牙、洗脸、淋浴的时间(4)_____20分钟，那么他一生用于这些事的时间(5)_____要一年左右。至于睡觉一般(6)_____得用去20年的时间。

(1) A. 计算　　　　　B. 计划　　　　　C. 计较

(2) A. 平常　　　　　B. 平均　　　　　C. 平时

(3) A. 修　　　　　　B. 刷　　　　　　C. 洗

(4) A. 约　　　　　　B. 概　　　　　　C. 总

(5) A. 总是　　　　　　　　B. 总共　　　　　　　　C. 总体
(6) A. 至少　　　　　　　　B. 至于　　　　　　　　C. 至多

汉字练习　Chinese Characters

一 根据拼音写汉字。Write Chinese characters according to *pinyin*.

bànfǎ　　　　　dānxīn　　　　　fàngxīn　　　　　yùdào

[　　]　　　　　[　　]　　　　　[　　]　　　　　[　　]

二 选择正确的汉字。Choose the correct Chinese characters.

1. 卡伦那么开_____，不会生气的。　　　　　（郎　朗）
2. 我觉得卡伦好_____有什么心事。　　　　　（象　像）
3. 别_____心，我有好办法。　　　　　　　　（坦　担）
4. 回头我跟惠美_____。　　　　　　　　　（淡淡　谈谈）
5. 今天马克怎么没来？不会又_____车了吧？　（堵　绪）
6. 那他喝什么闷酒啊，喜欢就大_____追呗。　（担　胆）

三 给下列动词搭配宾语。Fill in objects for the given verbs.

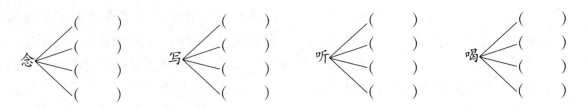

念　（　）（　）（　）（　）　　写　（　）（　）（　）（　）　　听　（　）（　）（　）（　）　　喝　（　）（　）（　）（　）

阅读　Reading

　　世界各地的人对颜色都有自己的爱好和禁忌(jìnjì)。爱尔兰、意大利、奥地利、挪威、瑞士、埃及和伊斯兰教地区等地的人都很喜欢绿色。法国的女孩偏爱粉(fěn)红色，男孩偏爱蓝色，一般人喜欢灰色。日本、港澳、东南亚一带喜欢红色。喜欢黑色、白色的人很少。瑞士、伊拉克讨厌(tǎoyàn)黑色，埃及人讨厌蓝色，伊斯兰教地区的人讨厌黄色。美国、加拿大、芬兰人对颜色则没有特殊的喜爱与禁忌。

选择正确答案。Choose the appropriate alternatives.

1. 从上文来看，喜欢哪种颜色的人最多？ _____。
   A. 蓝色　　　　　　　　B. 黄色　　　　　　　　C. 绿色
2. 瑞士人最讨厌哪种颜色？ _____。
   A. 黑色　　　　　　　　B. 白色　　　　　　　　C. 红色
3. 芬兰人喜欢哪种颜色？ _____。
   A. 绿色　　　　　　　　B. 黄色　　　　　　　　C. 不知道
4. 文章中"禁忌"一词的大概意思是_____。
   A. 喜欢　　　　　　　　B. 讨厌　　　　　　　　C. 爱好

任务　Task

请你查词典或者上网找一些描写人心理和心情的词语和图片，如下图。

心烦　　　　　　　高兴　　　　　　　害怕　　　　　　　生气

_____
_____
_____
_____

第45课 早睡早起身体好

语法练习 　Grammar

一　看图和拼音，把词语填写完整。Complete the words according to the pictures and *pinyin*.

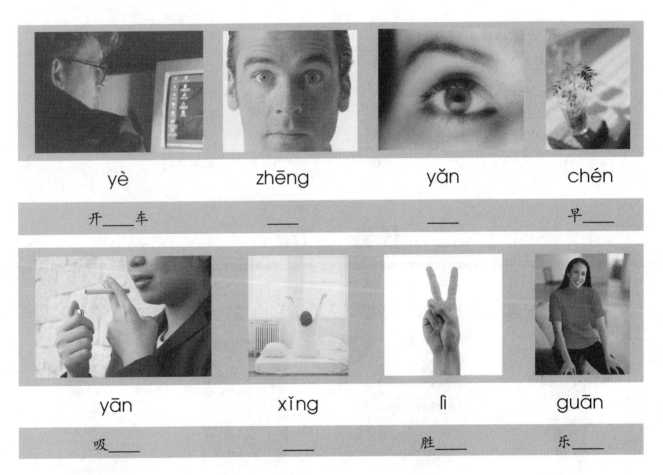

yè	zhēng	yǎn	chén
开____车	____	____	早____

yān	xǐng	lì	guān
吸____	____	胜____	乐____

二　选词填空。Fill in the blanks with the appropriate words.

睁　改变　改正　精神　养　醒　胜利

1. 你每天怎么都那么_____呢?

2. 你应该＿＿＿＿＿一下儿自己的生活习惯。

3. 每天早上一＿＿＿＿＿眼就得往教室跑。

4. 以后你早晨打电话叫＿＿＿＿＿我吧。

5. 做任何事都要坚持，坚持就是＿＿＿＿＿。

6. 我睡懒觉的坏毛病还是很难＿＿＿＿＿。

7. 每个人都应该＿＿＿＿＿成好的生活习惯。

三　把括号中的词语填入合适的位置。Put the words into the appropriate places.

1. 你A每天B怎么C那么精神呢？　　　　　　　　　　　　（都）

2. 周末我有时候去操场跑跑步，有时候在宿舍A预习B课文C。（一下儿）

3. 我早上一睁眼A得B往教室C跑。　　　　　　　　　　　（就）

4. 晚上早一点儿睡，第二天A就B可以早一点儿C起来吗？　（不）

5. 从那以后A我B没喝过酒C。　　　　　　　　　　　　　（再）

6. 无论如何，我们A应该B把一些坏习惯C改掉。　　　　　（还是）

四　选择正确的答案。Choose the appropriate alternatives.

1. 我早上一＿＿＿＿＿眼就得往教室跑，
　 这样还常常迟到呢。
　 A. 开
　 B. 张
　 C. 睁

2. 你应该＿＿＿＿＿一下自己的生活
　 习惯。
　 A. 改革
　 B. 改变
　 C. 改正

3. 别着急，养成好的生活习惯得一步
　 一步＿＿＿＿＿来。
　 A. 得
　 B. 地
　 C. 的

4. 我哥哥已经吸了五六年烟了，想要
　 戒＿＿＿＿＿很难。
　 A. 去
　 B. 走
　 C. 掉

5. 中国的名胜古迹很多，就＿＿＿＿＿北京
　 来说，有故宫、长城、颐和园等。
　 A. 让
　 B. 叫
　 C. 拿

6. 下面哪句话是对的？＿＿＿＿＿
　 A. 我以后再也不想吸烟了。
　 B. 我以后再也没想吸烟了。
　 C. 我以后没再想吸烟了。

五 用课文中学过的词语，替换下列句子中画线的部分。Rewrite the sentences with the words in the coursebook to replace the underlined parts.

1. 早睡早起，不睡懒觉，不<u>熬夜</u>。
   _____。

2. 我早上一<u>睡醒</u>就得往教室跑。
   _____。

3. 我<u>说过的话就一定会做到</u>。从那以后我再没喝过酒。
   _____。

4. <u>不管怎么样</u>，我们还是应该把一些坏习惯改掉。
   _____。

5. 中国有句话叫"<u>多笑，人可以变得年轻</u>。"
   _____。

6. 我还知道一句是"<u>饭后多运动，可以长寿</u>。"
   _____。

六 用所给的词语完成对话。Complete the dialogues with the given words.

1. A：你每天晚上都做些什么？
   B：_____。（有时候……有时候……）

2. A：改变一个人的生活习惯可真不容易。
   B：是啊。_____。（拿……来说）

3. A：明天晚上我可能来不了。
   B：_____。（无论如何）

4. A：你说过以后不再喝酒了，现在还喝吗？
   B：_____。（说话算数）

5. A：马克上课经常迟到。你呢？
   B：_____。（从来不）

6. A：每天八点上课，我太困了。
   B：_____。（应该）

七 将下列词语组成句子。Make up sentences with the following words.

例：从 以后 喝 酒 再 过 那 我 没
   从那以后我再没喝过酒。

1. 怎么 那么 你 都 呢 每天 精神
   _____？

2. 改变 你 一下儿 习惯 应该 的 自己

　　　_____。

3. 应该 我们 把 一些 坏 改掉 习惯 还是

　　　_____。

4. 酒 再 从 我 没 喝过 以后 那

　　　_____。

5. 做 你 起来 都 些 早上 什么

　　　_____？

八　完形填空。Cloze.

　　改变习惯可真不容(1)_____。就(2)_____我哥哥来说吧，他已经吸了五六年烟了，也没有戒掉。我还有一个朋友也戒过很多次了，都没有(3)_____功。要想戒烟，就应该坚持，坚持就是(4)_____利。我以前说过以后不再喝啤酒了，我说话算数，从那以后再没喝过。可是马克睡懒觉的毛病还是很难改正。我们觉得，无(5)_____如何应该把一些坏习惯改掉。我们应该不吸烟、不喝酒，早睡早起，保持乐(6)_____的精神。

汉字练习　Chinese Characters

一　根据拼音写汉字。Write Chinese characters according to *pinyin*.

gǎibiàn　　　zǎochén　　　shènglì　　　máobìng

二　选择正确的汉字。Choose the correct Chinese characters.

1. 我早上一_____眼就得往教室跑。　　　（睁　挣）
2. 他已经吸了五六年烟了，想要_____掉很难。　　　（戎　戒）
3. 还是应该坚持，坚持就是胜_____。　　　（厉　利）
4. 上次吃饭时你说过以后不再喝啤_____了。　　　（洒　酒）

5. 我睡懒觉的毛病还是很难_____正。 （改 放）
6. 我们应该不吸烟、不喝酒，早睡早起，保_____乐观的精神。 （峙 持）

三 用所给的多音字组词。Compose words with the given polyphones.

好 hǎo ( )
好 hào ( )

乐 yuè ( )
乐 lè ( )

划 huá ( )
划 huà ( )

发 fā ( )
发 fà ( )

舍 shě ( )
舍 shè ( )

相 xiāng ( )
相 xiàng ( )

阅读 Reading

吸烟与健康

　　每个人都知道吸烟有害健康。吸烟过多的人大多都活不长。每年有数百万人死于吸烟。吸烟能导致(dǎozhì)许多疾病。那些经常吸烟的人牙齿不好。许多烟民也因吸烟而常常咳嗽。吸烟引起的最严重的疾病之一是肺癌(fèi'ái)。许多人被这种可怕的疾病夺(duó)去了生命。吸烟不仅有害烟民的健康，也毒(dú)害着不吸烟的人，尤其是妇女和儿童。吸烟产生的毒气很可能使他们的健康受到侵害。

　　吸烟对健康百害而无一益(yì)。我希望所有的烟民能为了自己和周围人的健康而戒烟。让我们共享清新洁净(jiéjìng)的空气吧！

选择正确答案。Choose the appropriate alternatives.

1. 每年有_____死于吸烟。
   A. 一百万人　　　　　　B. 百万人　　　　　　C. 几百万人
2. 吸烟能导致很多疾病，文章中没有提到的疾病是_____。
   A. 咳嗽　　　　　　　　B. 肺癌　　　　　　　C. 感冒
3. 吸烟对_____造成污染。
   A. 水　　　　　　　　　B. 房间　　　　　　　C. 空气
4. "吸烟对健康百害而无一益"这句话中"益"的意思是_____。
   A. 难处　　　　　　　　B. 坏处　　　　　　　C. 好处

任务　Task

下面图片中哪些是好习惯，哪些是坏习惯？应该怎么改变这些坏习惯？你有哪些坏习惯？你打算怎么改变自己的这些坏习惯？

_____

_____

_____

_____

_____

_____

第46课 坚持到底就是胜利

语法练习 Grammar

一 看图和拼音，把词语填写完整。Complete the words according to the pictures and *pinyin*.

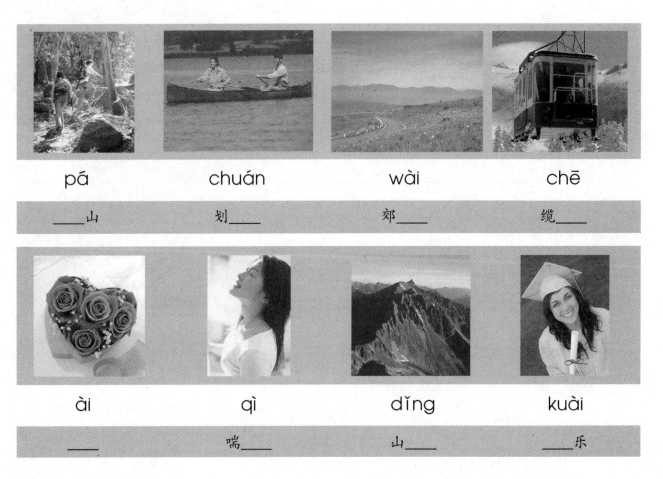

| pá | chuán | wài | chē |
| ___山 | 划___ | 郊___ | 缆___ |

| ài | qì | dǐng | kuài |
| ___ | 喘___ | 山___ | ___乐 |

二 选词填空。Fill in the blanks with the appropriate words.

| 到底　美好　组织　舍不得　主意　只要　所以　快乐 |

1. 可能是快要回国了，大家都有点儿_____。

2. 大家在一起应该开心地学习，_____地生活。

3. 我们应该给将来留下一个_____的回忆。

4. 你有什么好_____，给大家说说。

5. 坚持_____就是胜利。

6. _____坚持，就没有做不到的事情。

7. 学习汉语也一样，_____中国人常常说"世上无难事，只怕有心人"。

8. 学校_____留学生一起去爬山。

三 把括号中的词语填入合适的位置。Put the words into the appropriate places.

1. 我们应该A想想办法，B大家C高兴高兴。   （让）

2. 等考完试了，我们班A出去B玩儿C吧。   （一次）

3. 这个主意不错，A我B就想C出去玩儿了。   （早）

4. 现在的心情更好，终于A考B试C了。   （完）

5. 我真的爬不动了，都喘不A过气B了C。   （来）

6. 你这次考试比上次A好B了C。   （多）

四 选择正确的答案。Choose the appropriate alternatives.

1. 大家在一起应该开心_____学习，
   快乐地生活。
   A. 的
   B. 地
   C. 得

2. 组织同学们出去玩儿可以_____同
   学们之间的了解。
   A. 改进
   B. 增进
   C. 提高

3. _____去郊外，大家可以一起爬爬
   山，划划船。
   A. 只好
   B. 还好
   C. 最好

4. 终于_____了，大家可以放松放松
   了。
   A. 考试完
   B. 完考试
   C. 考完试

5. 山太高了，我有点儿累了，爬不
   _____了。
   A. 去
   B. 到
   C. 动

6. 你看，安德鲁他们已经爬_____
   山顶了。
   A. 在
   B. 来
   C. 到

7. 只要坚持，_____没有做不到的事。
   A. 就
   B. 才
   C. 也

五 用"只要"或"只有"填空。Fill in the blanks with "只要" or "只有".

1. _____你努力学习，就能取得好成绩。
2. 你_____经常锻炼，才能保持健康。
3. _____多听多说多练，就一定能把汉语学好。
4. _____爬上山顶，你才能看到山下美丽的风景。
5. _____不学习，你让他做什么都可以。

六 仿照例句，用所给的词语完成句子。Follow the example and complete
the sentences with the given words.

1. 来中国一方面是为了学习汉语，另一方面是为了了解中国的文化。
   _____。（一方面……另一方面）
2. 这个主意不错，我早就想出去玩儿了。
   你的身体太差了，_____。（早就）
3. 寒冷的冬天过去了，春天终于来了。
   考完试了，我们_____。（终于）
4. 咱们怎么上山？爬上去还是坐缆车？
   你想_____？（还是）
5. 我有点儿累了，走不动了。
   _____。（拿不动）
6. 只要坚持，就没有做不到的事。
   _____。（只要……就）

七 每个句子中都有一个错误，请从四个答案中找出来。Find out the false
part from each sentence.

例：我有点儿累了，爬不动了，我们坐下来，一会儿休息吧。   （D）
        A   B   C   D
1. 那我们也快往上爬吧。你说得对。只要坚持，就没有不做到的事。   （   ）
              A   B   C   D
2. 这样吧，等考完试了，我们班出去玩儿一遍吧。   （   ）
   A   B   C   D
3. 郊游一方面可以放松放松，另一方面可以增进同学们之间的知道。   （   ）
              A   B   C   D

4. 这个主意不错，我想早就出去玩儿了。你打算带我们去哪儿？ （　）
        A   B   C   D

5. 开学然后，我在学校吃饭。爸爸说食堂的饭太差，要我周末回家吃两顿饭。 （　）
        A   B C   D

6. 我走的时候，放钱包在我的书包里，我记得清清楚楚的，现在找不到了。 （　）
        A   B   C   D

八　　完形填空。Cloze.

     今天天气不错，一大早妈妈就叫醒我，让我起床去爬山，可我喜欢睡懒觉，(1)＿＿＿着不起床，后来在妈妈的不停催促(cuīcù)下才出了门。"山路十八弯(wān)"，兰山上的路虽然是台阶路，可还是弯路太多，好像永远爬不到头，爬到半山时，爸爸脖(bó)子后面直(2)＿＿＿汗，妈妈也有点儿累得受不了了，我更是喘不过(3)＿＿＿来，连(4)＿＿＿都抬不起来了，虽然大家都很累，但看到爬山的男女老少都坚持往山上爬，我也就鼓(gǔ)起勇气往上爬了。终于(5)＿＿＿上了山顶，虽然很累，但是山上空气(6)＿＿＿，令人心情舒畅(shūchàng)。

(1) A. 坐　　　　　　　B. 站　　　　　　　C. 躺

(2) A. 发　　　　　　　B. 有　　　　　　　C. 流

(3) A. 气　　　　　　　B. 出　　　　　　　C. 上

(4) A. 手　　　　　　　B. 腿　　　　　　　C. 头

(5) A. 跑　　　　　　　B. 登　　　　　　　C. 坐

(6) A. 清楚　　　　　　B. 干净　　　　　　C. 清新

汉字练习　Chinese Characters

一　　根据拼音写汉字。Write Chinese characters according to *pinyin.*

měihǎo	zǔzhī	xīnqíng	suǒyǐ

选择正确的汉字。Choose the correct Chinese characters.

1. 这几天我们班好像有点儿不对_____。 （劲 颈）
2. 一方面可以放松，另一方面还可以增_____同学们之间的了解。 （近 进）
3. 最好去郊_____，大家一起爬爬山、划划船。 （处 外）
4. 中国人常常说"世上无难事，只_____有心人。" （泊 怕）
5. 大家在一起应该开心_____学习。 （地 的）
6. 希望你努力地学习，_____快地生活。 （榆 愉）

三 用所给的多音字组词。Compose words with the given polyphones.

教 jiāo （   ）　　　差 chā （   ）　　　长 cháng （   ）
　 jiào （   ）　　　　 chāi （   ）　　　　 zhǎng （   ）

假 jiǎ （   ）　　　觉 jué （   ）　　　空 kōng （   ）
　 jià （   ）　　　　 jiào （   ）　　　　 kòng （   ）

阅读　Reading

　　全球45个发达国家的生育率(lǜ)都低于人口更新水平。在世界出生率最低的25个国家中，有22个在欧洲。欧洲已有18个国家的人口出现负(fù)增长。其中最着急的恐怕是俄罗斯，俄罗斯是世界上人口数量减少速度最快的国家之一，截至(jiézhì)今年1月1日，俄罗斯总人口为1.42亿，比去年减少50万，比1992年减少了1000多万。其它发达国家，如德、法、英、日等国情况也不容乐观。人口数量减少成为这些国家最大的人口危机，给这些国家的经济发展和国家安全带来严峻(yánjùn)挑战(tiǎozhàn)，尽管各国采取种种措施(cuòshī)鼓励生育，但收效甚(shèn)微。

选择正确答案。Choose the appropriate alternatives.

1. 这段文章主要说明_____。
　 A. 发达国家人口在增多　　B. 发达国家人口在减少　　C. 发达国家的政治经济有危机
2. 出生率最低的国家中，欧洲有_____。
　 A. 25个　　　　　　　　B. 22个　　　　　　　　C. 18个
3. 俄罗斯1992年的人口数量是_____。
　 A. 1.5亿多　　　　　　　B. 1.4亿多　　　　　　C. 1.3亿多

4. 各国采取措施鼓励生育，但是_____。
   A. 效果很好　　　　　　　B. 没有效果　　　　　　　C. 效果不明显

任务　Task

你认为爬山时应该准备哪些用具？爬山时应该注意哪些问题？你喜欢爬山吗？你爬过哪些名山？

_____

_____

_____

_____

_____

_____

_____

第47课 你的汉语进步真大

语法练习 Grammar

一　看图和拼音，把词语填写完整。Complete the words according to the pictures and *pinyin*.

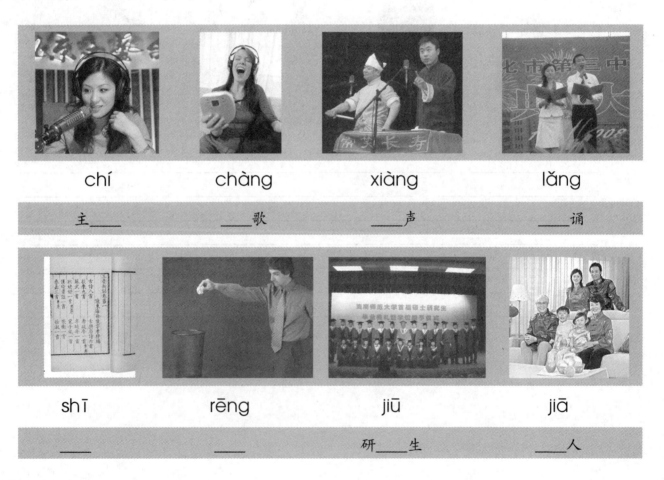

chí

主＿＿＿

chàng

＿＿＿歌

xiàng

＿＿＿声

lǎng

＿＿＿诵

shī

＿＿＿

rēng

＿＿＿

jiū

研＿＿＿生

jiā

＿＿＿人

二　选词填空。Fill in the blanks with the appropriate words.

| 不但　进步　继续　联系　希望　千万　夸奖　所以 |

1. 你的汉语＿＿＿＿＿＿真大。发音、声调都很标准。

2. 听到你的_____，我太高兴了。

3. 因为有了你的帮助，_____我的汉语才进步得这么快。

4. 回国以后还要坚持学习，_____别扔了。

5. 老师_____教会了我们汉语知识，而且还教会了我们学习汉语的方法。

6. 谢谢您的夸奖，我会_____努力的。

7. 我_____我的亲戚朋友都能来中国学习汉语。

8. 回国以后向你的家人问好，也希望我们常_____。

三 把括号中的词语填入合适的位置。Put the words into the appropriate places.

1. 你的汉语说得真好，连A中国人B听不出来你C是外国人。 （都）

2. 因为有了你的帮助，A我的汉语B才C进步得这么快。 （所以）

3. A我想你B一定C会成为一名出色的汉语专家。 （以后）

4. 回国以后还要坚持学习汉语，A千万B扔了C。 （别）

5. A您B教会了我们C汉语知识，而且还教会了我们学习汉语的方法。 （不但）

6. 转眼你们都要回国了，A舍不得你们B走C。 （真）

四 用"向"或"从"填空。Fill in the blanks with "向" or "从".

1. _____我家到火车站大概有四公里。

2. 明天我就要回国了，我来_____您告别。

3. 爸爸_____早到晚都在忙工作，一点儿休息时间都没有。

4. 回国以后，请代我_____你的父母问好。

5. 他把桌子_____卧室搬到了书房。

五 选择正确的答案。Choose the appropriate alternatives.

1. 昨天的晚会，我主持_____怎么样？
   A. 的
   B. 地
   C. 得

2. 你的发音、声调都很标准，连中国人都听不_____你是外国人。
   A. 过来
   B. 起来
   C. 出来

3. 你回国以后还要坚持学习，千万_____扔了。
   A. 不
   B. 别
   C. 没

4. 你的汉语进步真快，都_____"中国通"了。
   A. 快成
   B. 就成
   C. 才成

5. 谢谢您的夸奖，我_____继续努力的。
   A. 想
   B. 要
   C. 会

6. 我想先工作一段时间，然后来北京念研究生。这句话中"念"的意思是_____。
   A. 考
   B. 读
   C. 做

7. 我想你以后一定会成为一名出色的汉语专家。这句话中"以后"的意思是_____。
   A. 最后
   B. 然后
   C. 今后

六 仿照例句，用所给的词语完成句子。Follow the example and complete the sentences with the given words.

1. 我希望我的亲戚朋友都能来中国看看。
   我们_____。（希望）

2. 连中国人都听不出来你是外国人。
   这个汉字太难写了，_____。（连……都……）

3. 天气不好，千万要注意身体。
   _____。（千万）

4. 因为有你的帮助，所以我的汉语才进步得这么快。
   _____。（因为……所以……）

5. 您不但教会了我们汉语知识，而且还教会了我们学习汉语的方法。
   _____。（不但……而且……）

七 用所给的词语完成对话。Complete the dialogues with the given words.

1. A：你的汉语说得真好。
   B：_____。（哪里）

2. A：你最近怎么没来上课？
   B：_____。（因为……所以……）

3. A：你来北京快一年了，去过哪些好玩的地方？
   B：_____。（连……都……）

4. A：这本书还有用吗？
   B：_____。（千万别）

5. A：卡伦的中文歌唱得怎么样？
   B：_____。（不但……而且……）

6. A：回国以后，你有什么打算？
   B：_____？（先……然后……）

八　完形填空。Cloze.

　　北京是我的第二故(1)_____。虽然以后我可能会离(2)_____这里，但是无论我在哪里，我都永远不会忘(3)_____这个地方。因为这里有我的老师们。他们教会了我很多东西，不但教会了我汉语知(4)_____，而且还教会了我学习汉语的(5)_____法。他们对我的帮助，我会一直记在心里。我在北京还认识了很多朋友，他们从世界各国来到这里。我们中的很多人以后会成为出色的汉语专(6)_____，为中国和世界的进步作出自己的贡献。

汉字练习 Chinese Characters

一　根据拼音写汉字。Write Chinese characters according to *pinyin*.

jìnbù　　　　chànggē　　　　jìxù　　　　xīwàng

二　选择正确的汉字。Choose the correct Chinese characters.

1. 昨天我主_____的晚会你去了吗？　　　（诗　持）
2. 你的汉语_____步真大。　　　　　　　（近　进）
3. 你的发音和声调都很标_____。　　　　（准　淮）
4. 我是来向您辞行的，谢谢您一年来的教_____。（海　诲）
5. 谢谢您的夸奖，我会继_____努力的。　（读　续）
6. 回国以后_____你的家人问好。　　　　（相　向）

三　写出下列词语的反义词。Write the antonyms of the following words.

例：大—小

闭— 　　　快— 　　　对— 　　　好— 　　　新— 　　　高— 　　　早—

贵— 　　　脏— 　　　下— 　　　多— 　　　长— 　　　黑— 　　　轻—

好吃— 　　　　　　放松— 　　　　　　放心—

阅读 Reading

电视节目预报

CCTV-1

19:38　名人访谈

19:55　特约剧场：电视剧《亮剑》第20—22集

21:40　轻松十分钟

22:00　晚间新闻

22:39　午夜剧场：电影《A计划》

CCTV-2

21:00　新闻联播

21:30　黄金剧场：电视剧《西游记》第18—20集

21:40　欢乐剧场

22:00　娱乐大家看

23:15　意大利足球联赛

BJTV-1

18:00　流行音乐先锋

19:00　北京新闻

19:40　法制时空

22:00　电视剧《大宅门》第25—27集

23:15　晚间新闻

选择正确答案。Choose the appropriate alternatives.

1. 晚上九点想看新闻，可以调到哪个频道？＿＿＿＿。

　　A. CCTV-1　　　　　　　　B. CCTV-2　　　　　　　　C. BJTV-1

2. 晚上十点时有几个频道在播放电视剧？＿＿＿＿。

　　A. 一个　　　　　　　　　B. 两个　　　　　　　　　C. 三个

3. 喜欢看体育节目的人可以调到哪个频道？ _____ 。
   A. CCTV-1   B. CCTV-2   C. BJTV-1

任务 Task

　　马克和卡伦是同班同学，他们在一起学习了四年汉语。下个星期，他们就要回到各自的国家了。请给他们设计一段告别时的对话。

_____

_____

_____

_____

_____

_____

语法练习 Grammar

一 看图和拼音，把词语填写完整。Complete the words according to the pictures and *pinyin*.

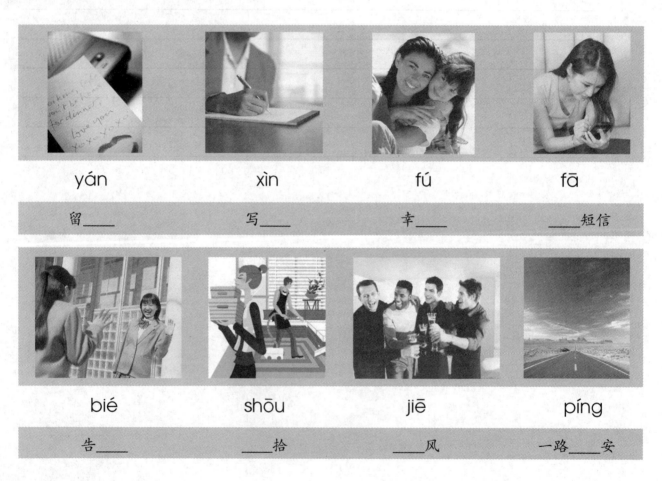

yán   xìn   fú   fā

留____   写____   幸____   ____短信

bié   shōu   jiē   píng

告____   ____拾   ____风   一路____安

二 选词填空。Fill in the blanks with the appropriate words.

告别 发 代 联系 收拾 全 写 幸福

1. 张华，请在我的留言本上_____几句话吧。

2. 祝你生活_____，事业有成。

3. 我这儿有你的E-mail地址，我会给你_____邮件的。

4. 回国以后，我们也要常_____。

5. 我给您打电话，是为了向您_____。

6. 你的行李都_____好了吗？

7. 今天学的生词我_____都记住了。

8. 祝你一路平安，请_____我向你的父母问好。

三 把括号中的词语填入合适的位置。Put the words into the appropriate places.

1. 这是我的电子邮箱地址，你A一定B给我C写信。 （要）

2. 我这儿有你的E-mail地址，A我B给你C发邮件的。 （会）

3. 请A把你的通信地址、电话、手机，还有E-mail地址B写下来给我C。 （都）

4. A你的行李B都C收拾好了吗？ （全）

5. 过了暑假A我B会C回中国来的。 （还）

6. A你B明天几点的飞机C？ （是）

四 选择正确的答案。Choose the appropriate alternatives.

1. 我喜欢给朋友们_____电子邮件。
   A. 送
   B. 寄
   C. 发

2. 请把你的通信地址、电话、手机，还有E-mail地址写_____给我。
   A. 出来
   B. 下来
   C. 上来

3. 我给您打电话，是为了_____您告别。
   A. 对
   B. 向
   C. 朝

4. 我的朋友张华、李明都去机场_____我。
   A. 看
   B. 陪
   C. 送

5. 过_____暑假我还会回中国来的。
   A. 了
   B. 着
   C. 去

6. 回国以后，请_____我向你的父母问好。
   A. 帮
   B. 叫
   C. 代

五 仿照例句，写几句祝福的话。Follow the example to write several wishes.

例：祝大家身体健康，万事如意。

1. 祝老师_____。
2. 祝爸爸妈妈_____。
3. 祝同学们_____。
4. 祝朋友们_____。
5. 祝你_____。

六 仿照例句，用所给的词语完成句子。Follow the example and complete the sentences with the given words.

1. 我会发邮件给你的。
   他_____。（会……的）
2. 我给您打电话，是为了向您告别。
   我来中国，_____。（是为了）
3. 行李全都收拾好了吗？
   老师今天讲的生词_____吗？（全都）
4. 我等着这一天早日到来。
   我们_____。（等着）
5. 请代我们向你的父母问好。
   请代我们_____。（向……问好）

七 每个句子中都有一个错误，请从四个答案中找出来。Find out the false part from each sentence.

例：我<u>有点儿累了</u>，<u>爬不动了</u>，我们<u>坐下来</u>，<u>一会儿休息</u>吧。　　　　　　　（D）
　　　　A　　　　　　B　　　　　　　C　　　　　D

1. 我实在<u>没有时间</u>，<u>马上还要</u>去外地出差，<u>要不</u>，等我放假回家我们再好好
　　　　　　A　　　　　　B　　　　　　　C
   <u>谈了谈</u>。　　　　　　　　　　　　　　　　　　　　　　　　　　　　　　（　）
   　D

2. 老师<u>对于</u>我说，<u>如果</u>我做完以后能仔细<u>检查一遍</u>，成绩可能会比现在
　　　　A　　　　　　B　　　　　　　　　　C
   <u>高一点儿</u>。　　　　　　　　　　　　　　　　　　　　　　　　　　　　　（　）
   　D

3. 请你回答一个我们问题：太阳是早晨的时候离我们近，还是中午的
　　　　　　　 A　　　　　　　　　　　　 B　　　 C
时候更近。　　　　　　　　　　　　　　　　　　　　　　（　　）
　　　 D

4. 最近我参加了贵社组织的两次旅行，过着非常愉快，因此，写这封信
　　　　　 A　　　　　　　　　　　 B　　　　 C
表示感谢。　　　　　　　　　　　　　　　　　　　　　　（　　）
　　 D

5. 五千年多以前，中国古代文明就是从这里开始发展起来的，并且
　 A　　　　　　　　　　　　　　　　 B　　　 C
一直传到了今天。　　　　　　　　　　　　　　　　　　（　　）
　　　 D

6. 为了了解上海，我已经骑了坏一辆自行车，我敢说我是最熟悉上海道路。（　　）
　 A　　　　　　　 B　　　　　 C　　　　　 D
的"老外"。

八　选择适当的关联词语完成句子。Fill in the proper conjunction words to
　　complete the sentences.

不但……而且	虽然……但是	因为……所以	无论……都
一边……一边	如果……就	越……越	有时候……有时候

1. 我觉得汉语_____学_____有意思。

2. 张老师_____教会了我们汉语知识，_____教会了我们学习汉语的好方法。

3. _____我有钱，我_____在郊外买一座大房子。

4. _____天气怎么样，他每天_____坚持锻炼身体。

5. 我喜欢_____听音乐，_____学习汉语。

6. 周末，我_____在房间睡觉，_____跟朋友一起去操场踢球。

7. _____太胖了，_____他要减肥。

8. _____我来中国一年了，_____我的发音还是不太好。

一　根据拼音写汉字。Write Chinese characters according to *pinyin*.

xìngfú	shōushi	gàobié	tōngxìn

二　选择正确的汉字。Choose the correct Chinese characters.

1. 请在我的留言本上写几句_____吧。　　　（活　话）
2. 这是我的电子邮箱地_____。　　　　　　（址　扯）
3. 过了_____假我还会回中国来的。　　　　（暑　署）
4. 行李都收_____好了吗?　　　　　　　　（合　拾）
5. 祝你一路_____安。　　　　　　　　　　（平　干）
6. 请_____我向你的父母问好。　　　　　　（带　代）

三　填写适当的词语。Fill in the proper words.

例：美丽的（姑娘）

开心地（　　）　　快乐地（　　）　　认真地（　　）　　努力地（　　）
开朗地（　　）　　紧张地（　　）　　清楚地（　　）　　着急地（　　）
美好的（　　）　　重要的（　　）　　健康的（　　）　　幸福的（　　）
漂亮的（　　）　　热闹的（　　）　　暖和的（　　）　　流行的（　　）

阅读　　Reading

　　陶行知先生是我国著名的教育家。他在担任育才学校校长的时候，一天，看到一个男同学用砖(zhuān)头打别的学生，就阻止(zǔzhǐ)了这个学生，并命令他到校长室等候。

陶先生回到办公室，看见这个男生已经在办公室等着了，就拿出一块糖递给他："这是奖励你的，因为你比我按时到了。"接着又拿出第二块糖给他："这也是奖励你的，我不让你打同学，你马上住手了，说明你很尊重我。"这个男生怀疑(huáiyí)地接过糖。陶先生又说："据了解，你打同学是因为他欺负(qīfu)女生，这说明你有正义感，愿意帮助别人。"陶先生又拿出第三块糖给他。这时候男同学哭了，他说："校长，我错了，即使别的同学做错了，我也不应该打人。"陶先生又拿出第四块糖说："你已经认错了，就再奖你一块，我们的谈话也该结束了。"

选择正确答案。Choose the appropriate alternatives.

1. 陶先生为什么让这个男同学去校长室？因为_____。
   A. 他和同学吵架　　　B. 他不听老师的话　　C. 他用砖头打同学
2. 陶先生给这个男同学第一块糖是为什么？因为_____。
   A. 他帮助别人　　　　B. 他爱哭　　　　　　C. 他比陶先生早到了办公室
3. 最后这个男同学为什么哭了？因为他_____。
   A. 被校长批评了　　　B. 只拿到了四块糖　　C. 知道自己错了
4. 最适合本文的题目是_____。
   A. 校长的批评　　　　B. 四块糖的故事　　　C. 巧妙的教育

任务　Task

马克要回国了，他想送给老师一件礼物，下面这些礼物你觉得哪些合适，哪些不合适？写一下你的理由。另外，你还有什么别的好建议吗？

_____

_____

_____

_____

第25课　我对中国书法非常感兴趣

※ 语法练习

一、准 剧 法 写 场 跑 回 帮

二、1. 楼下　　　2. 准备　　　3. 不错　　　4. 找　　　5. 帮助

三、1.（见第2题）

    2.(1) 感兴趣　(2) 准备考试　(3) 写得不错　(4) 练书法　(5) 不见不散

四、1. A　　　2. A　　　3. B　　　4. B　　　5. B

五、1. 又　　　2. 又　　　3. 再　　　4. 再　　　5. 又

六、1. B　　　2. A　　　3. C　　　4. B　　　5. C

七、1. □ 我正准备演讲比赛呢　　　2. □ 我没做作业　　　3. □ 你找谁

    4. □ 喜欢就不难，不喜欢就难　　　5. □ 不见不散

八、（答案略）

九、（答案略）

十、1.(1) B　　(2) C　　(3) C　　(4) A　　(5) B

    2.(1) A　　(2) C　　(3) A　　(4) C　　(5) A　　(6) B

※ 汉字练习

一、帮助　努力　准备　兴趣

二、1. 准　　　2. 下　　　3. 练　　　4. 趣　　　5. 来

三、1. 找　　　2. 法　　　3. 备　　　4. 助　　　5. 办

四、

					她		
	书		念	对	了		
	忘			书			
我	在	准	备	语	法	考	试
	家			感			
	里			兴			
	了			趣			

※ 任务（答案略）

第26课 你喜欢什么运动

※ 语法练习

一、炼 减 持 打 运 体 足 乒

二、1.爱好　　2.什么的　　3.咱们　　4.除了　　5.有意思

三、1.（见第2题）
　　2.(1)京剧迷　(2)锻炼身体　(3)流行歌曲　(4)很难坚持　(5)打球

四、1. B　　　2. B　　　3. C　　　4. A　　　5. A

五、（答案略）

六、1. C　　2. A　　3. C　　4. B　　5. A　　6. B

七、1.□ 我喜欢游泳　　　　　　　2.□ 你为什么不喜欢一个人跑步
　　3.□ 每天下午跑一个小时步　　4.□ 我的爱好可多了
　　5.□ 像鱼香肉丝什么的，我都喜欢吃

八、（答案略）

九、（答案略）

十、1.(1) B　　(2) A　　(3) C　　(4) B　　(5) B
　　2.(1) A　　(2) C　　(3) C　　(4) A　　(5) C

※ 汉字练习

一、歌曲　坚持　爱好　　流行

二、1.运　　2.炼　　3.咱　　4.网　　　5.篮

三、1.错　　2.外　　3.减　　4.持

四、

			请			
			把			
	她		书			
我	可	喜	欢	打	球	了
	能		开			
这	双	鞋	正	合	适	
	在					
	睡					
	觉					

※ 任务（答案略）

第27课 你看过这部电影吗

※ **语法练习**

一、影 末 观 馆 首 场 军 历
二、1. 虽然　　2. 次　　　　3. 有名　　　　4. 要是　　　　5. 以前
三、1.（见第2题）
　　2.(1) 读过一遍　　　　(2) 参观博物馆　　　　(3) 这部电影
　　　(4) 有空儿　　　　　(5) 当翻译
四、1. B　　　2. A　　　　3. B　　　　4. C　　　　5. B
五、1. 吃　　2. 去　　　　3. 学　　　4. 打　　　5. 参观/去
六、1. B　　2. C　　　3. C　　　4. A　　　5. B　　　6. C
七、1. □ 我读过这本书　　2. □ 我看过一遍这部电影　　3. □ 你以前看过京剧吗
　　4. □ 下课以后请把窗户关上　5. □ 我找过他几次
八、（答案略）
九、（答案略）
十、1. (1) C　　(2) A　　(3) A　　(4) B　　(5) B
　　2. (1) B　　(2) B　　(3) A　　(4) C　　(5) B　　(6) A

※ **汉字练习**

一、电影院　字幕　以前　了解
二、1. 末　　2. 遍　　3. 首　　4. 史　　5. 观
三、1. 过　　2. 次　　3. 特　　4. 空
四、

```
                        一
            直        请        第
            往        你        一
  上  海  我  以  前  去  过  一  次
            走        来        去
            我                  看
  中  国  的  首  都  是  北  京
            会                  剧
```

※ **任务**（答案略）

第28课 今天我请客

※ 语法练习

一、尝 庆 烤 名 茶 里 酒 菜

二、1. 马上　　　2. AA制　　　3. 段　　　4. 点　　　5. 嘛

三、1.（见第2题）

2 (1) 请稍等　　　(2) 得了第一名　　　(3) 怎么好意思呢

(4) 喝点儿茶　　　(5) 特色菜

四、1. B　　　2. B　　　3. C　　　4. B　　　5. A

五、（答案略）

六、1. B　　　2. C　　　3. A　　　4. B　　　5. B　　　6. C

七、1. □ 那怎么好意思呢　　　2. □ 他学过嘛　　　3. □ 给我们来个烤鸭吧

4. □ 来点儿啤酒吧　　　5. □ 我挺喜欢打球的

八、1. 这次网球比赛我得了第一名。　　　2. 那怎么好意思呢?

3. 你们吃点什么?　　　4. 你们这儿有什么特色菜吗?

5. 我也来瓶可乐吧!

九、（答案略）

十、1.(1) B　　　(2) A　　　(3) B　　　(4) C　　　(5) B　　　(6) B

2.(1) A　　　(2) B　　　(3) C　　　(4) B　　　(5) C　　　(6) A

※ 汉字练习

一、请客　见面　马上　点菜

二、1. 烤　　　2. 庆　　　3. 茶　　　4. 灯　　　5. 尝

三、1. 嘛　　　2. 店　　　3. 稍　　　4. 挺　　　5. 菜

四、

今	天	我	请	客
			过	

给	我	们	来	个	汤	吧
			想			

你	们	喝	点	儿	什	么
		烤				
		鸭				

※ 任务（答案略）

第29课 咱们带一束花去吧

※ 语法练习

一、花 礼 酒 果 站 会 杯 汽

二、1. 玩儿　　2. 站　　3. 该　　4. 周　　5. 为了

三、1.（见第2题）
　　2 (1) 来我房间玩儿　　(2) 两瓶啤酒　　(3) 欢迎你们
　　(4) 一束花　　(5) 坐公共汽车

四、1. A　　2. C　　3. A　　4. B　　5. A

五、（答案略）

六、1. C　　2. B　　3. A　　4. B　　5. A　　6. A

七、1. □ 你喝茶还是喝咖啡　2. □ 我是坐公共汽车来的　3. □ 我们六点半就到了
　　4. □ 让我们为这次聚会干杯　5. □ 咱们带一些水果去吧

八、1. 老师让我们预习生词。　2. 欢迎你们来我的宿舍玩儿。
　　3. 你们是什么时候到的?　4. 她早就来了。
　　5. 咱们带什么礼物去好呢?

九、（答案略）

十、1. (1) A　　(2) B　　(3) C　　(4) C　　(5) B　　(6) B
　　2. (1) B　　(2) A　　(3) C　　(4) C　　(5) C

※ 汉字练习

一、国家　别人　或者　玩儿

二、1. 客　　2. 些　　3. 该　　4. 都　　5. 为

三、1. 礼　　2. 国　　3. 让　　4. 花

四、

		今		在	
		天		教	
我		我		室	
出	她	请	我	看	电	影
去	她	家	做	客	书
一		了	
下		很	
儿		多	
		菜	

※ 任务（答案略）

第30课 以后再说吧

※ 语法练习

一、票 网 品 快 冷 同 气 逛

二、1. 一定　　　2. 巧　　　3. 懒　　　4. 东西　　　5. 明白

三、1.（见第2题）

　　2.(1) 逛胡同　(2) 在网上　(3) 以后再说　(4) 太可惜　(5) 相信我

四、1. B　　　2. C　　　3. C　　　4. C　　　5. B

五、1. 听　　　2. 看　　　3. 吃　　　4. 做　　　5. 去

六、1. B　　　2. C　　　3. A　　　4. A　　　5. B　　　6. C

七、1.□ 我去不了　　　　　　　2.□ 晚上十点以前你回得来回不来

　　3.□ 为什么不让我睡懒觉　　4.□ 我不舒服，哪儿都不想去

　　5.□ 以后再说吧

八、（答案略）

九、（答案略）

十、1.(1) B　　(2) A　　(3) B　　(4) A　　(5) C　　(6) B

　　2.(1) C　　(2) A　　(3) B　　(4) A　　(5) C　　(6) A

※ 汉字练习

一、1. 东西　　　2. 明白　　　3. 一定　　　4. 相信

二、1. 票　　　2. 网　　　3. 白　　　4. 再　　　5. 惜

三、（答案略）

四、1. 送　　　2. 特　　　3. 懒　　　4. 冷

※ 任务（答案略）

第31课 咱们布置一下儿房间吧

※ 语法练习

一、历 树 饰 扫 灯 密 场 热

二、1. 着急　　　2. 已经　　　3. 放假　　　4. 要不　　　5. 不过

三、1.（见第2题）

　　2.(1) 布置房间　　　(2) 一顶帽子　　　(3) 一棵圣诞树

　　　(4) 过春节　　　　(5) 逛商场

四、1. B　　　2. A　　　3. C　　　4. A　　　5. B

五、（答案略）

六、1. B　　　2. C　　　3. A　　　4. B　　　5. C

七、1.□ 快要放假了　　　2.□ 我的听力跟语法差不多，都不太好

3.□ 我想把朋友都叫来，大家一起热闹热闹
4.□ 你在想什么   5.□ 带一束花吧，要不，带一些水果去
八、（答案略）
九、（答案略）
十、1.(1) C   (2) B   (3) A   (4) C   (5) A   (6) B
      (7) B
    2.(1) B   (2) A   (3) C   (4) C   (5) B   (6) B

※ 汉字练习

一、布置　帽子　着急　逛街
二、1.密   2.棵   3.放   4.差   5.已
三、（答案略）
四、1.要   2.烛   3.谋   4.过

※ 任务（答案略）

第32课 寒假你有什么打算

※ 语法练习

一、行　父　假　船　音　联　炮　过
二、1.羡慕   2.提高   3.够   4.时   5.打算
三、1.（见第2题）
    2 (1)忘得差不多了   (2)从南往北   (3)想念父母
      (4)身体受不了   (5)放鞭炮
四、1.B   2.C   3.A   4.B   5.B
五、1.吃/尝   2.用   3.去   4.打   5.看/听
六、1.A   2.C   3.B   4.C   5.C   6.A
七、1.□ 喂，是马克吗   2.□ 是新买的吧   3.□ 哪里，还差得远呢
    4.□ 我们买彩灯、装饰圣诞树、布置房间什么的，可热闹了
    5.□昨天的电影又长又没意思
八、（答案略）
九、（答案略）
十、1.(1) B   (2) A   (3) C   (4) C   (5) B   (6) C
      (7) C   (8) A
    2.(1) A   (2) B   (3) C   (4) A   (5) C   (6) B
      (7) A

※ 汉字练习

一、打工　计划　提高　羡慕
二、1.北   2.暑   3.受   4.明   5.过   6.船

三、（答案略）
四、1. 放　　　　2. 行　　　　3. 音　　　　4. 划　　　　5. 想

※ **任务** （答案略）

第33课　我一毕业就回国

※ 语法练习

一、男 会 张 语 亮 松 毕 结
二、1. 生活　　　2. 纠正　　　3. 安排　　　4. 异同　　　5. 留
三、1. 结什么婚　　2. 吃什么饭　　3. 减什么肥　　4. 逛什么街
四、1. B　　　　2. B　　　　3. C　　　　4. B　　　　5. B
五、1. 得　　　　2. 的　　　　3. 的　　　　4. 的　　　　5. 得　　　　6. 得
六、（答案略）
七、1—D　　　　2—A　　　　3—B　　　　4—E　　　　5—C
八、1. 这本词典是为你准备的。
　　2. 他一毕业就结婚了。
　　3. 我想帮助他们纠正发音。
　　4. 房间布置得漂漂亮亮的。
　　5. 星期天你有什么安排吗?
九、（答案略）
十、(1) B　　　(2) A　　　(3) B　　　(4) C　　　(5) A　　　(6) A
　　(7) A　　　(8) B　　　(9) C　　　(10) B

※ 汉字练习

一、生活 纠正 紧张 安排
二、1. 名　　　2. 排　　　3. 因　　　4. 生　　　5. 业
三、1. 首　　　2. 名　　　3. 弟　　　4. 活
四、1. 但　　　2. 异　　　3. 当　　　4. 放　　　5. 名

※ **任务** （答案略）

第34课　机票买回来了

※ 语法练习

一、软 票 钱 预 报 赶 行 费
二、1. 只要　　　2. 比较　　　3. 直接　　　4. 抓紧　　　5. 放

三、1. 坐着　　　2. 穿着　　　3. 写着　　　4. 听着　　　5. 等着
四、1. C　　　　2. C　　　　3. A　　　　4. B　　　　5. C
五、1. 去　　　　2. 来　　　　3. 来　　　　4. 来　　　　5. 去　　　　6. 来
六、（答案略）
七、1—B　　　2—E　　　3—C　　　4—A　　　5—D
八、1. 请把机票送过来。　　　2. 他们正看着电视呢。　　　3. 老师走进教室来了。
　　4. 昨天我买回来一双鞋。　　5. 车在楼下等着呢。
九、（答案略）
十、(1) B　　　(2) C　　　(3) A　　　(4) A　　　(5) B　　　(6) B
　　(7) A　　　(8) C　　　(9) C　　　(10) B

※ 汉字练习

一、抓紧　直接　只要　班机
二、1. 放　　　2. 免　　　3. 及　　　4. 份　　　5. 丢
三、1. 空　　　2. 订　　　3. 叫　　　4. 杯
四、1. 着　　　2. 较　　　3. 要　　　4. 接　　　5. 社

※ 任务（答案略）

第35课 把登机牌拿好

※ 语法练习

一、机 运 表 裤 色 风 杂 娘
二、1. 半天　　　2. 手续　　　3. 地　　　4. 条　　　5. 上身
三、1. 努力地学习汉语　　　2. 高兴地祝贺他　　　3. 一个一个地办
　　4. 一家一家地逛　　　　5. 一遍一遍地听
四、1. B　　　2. B　　　3. B　　　4. A　　　5. B
五、1. 得　　　2. 地　　　3. 得　　　4. 地　　　5. 得
六、（答案略）
七、1—B　　　2—A　　　3—E　　　4—C　　　5—D
八、1. 我都到了半天了。　　　2. 他高兴地进教室来了。
　　3. 飞机马上就要起飞了。　　4. 她手里拿着一本书。　　5. 他们在坐着聊天呢。
九、（答案略）
十、(1) B　　　(2) A　　　(3) B　　　(4) C　　　(5) A　　　(6) C
　　(7) B　　　(8) C　　　(9) C　　　(10) B

※ 汉字练习

一、办理 条 上身 红
二、1. 手　　　2. 半　　　3. 续　　　4. 表　　　5. 色
三、1. 较　　　2. 赶　　　3. 很　　　4. 热

四、1. 牌　　2. 地　　3. 运　　4. 志　　5. 姑

※ 任务（答案略）

第36课 上有天堂，下有苏杭

※ 语法练习

一、示 登 甜 钥 梯 算 景 准
二、1. 暖和　　2. 感觉　　3. 加　　4. 干燥　　5. 极了
三、1. 忙极了　　2. 漂亮极了　　3. 好吃极了　　4. 羡慕极了　　5. 高兴极了
四、1. C　　2. B　　3. C　　4. B　　5. C
五、1. 了　　2. 了　　3. 着　　4. 着　　5. 了
六、（答案略）
七、1—C　　2—B　　3—D　　4—E　　5—A
八、1. 请问有空房间吗？　　2. 你要什么样的鞋？　　3. 我都不想回去了。
　　4. 北京没有杭州那么暖和。　　5. 这是您的房间钥匙，请拿好。
九、（答案略）
十、(1) B　　(2) B　　(3) A　　(4) B　　(5) B　　(6) A
　　(7) B　　(8) B　　(9) C　　(10) B

※ 汉字练习

一、干燥 感觉 天堂 气候
二、1. 间　　2. 加　　3. 暖　　4. 极　　5. 空
三、1. 裤　　2. 报　　3. 晚　　4. 理　　5. 空
四、1. 饱　　2. 住　　3. 记　　4. 和　　5. 空

※ 任务（答案略）

第37课 能帮我们照张相吗

※ 语法练习

一、帮 照 登 影 感 笑 伙 码
二、1. 终于　　2. 俗话　　3. 劳驾　　4. 发　　5. 下来
三、1. 想出来　　2. 看出来　　3. 做出来　　4. 喝出来　　5. 洗出来
四、1. B　　2. B　　3. B　　4. B　　5. B
五、1. 出来　　2. 出来　　3. 下来　　4. 出来　　5. 下来
六、（答案略）

七、1—B　　　　2—C　　　　3—E　　　　4—D　　　　5—A
八、1. 我们终于登上长城了。　　　　　　2. 那边过来一个服务员。
　　3. 劳驾，能帮我们照张合影吗？　　4. 咱们的照片洗出来了没有？
　　5. 你的话我已经写下来了。
九（答案略）
十、(1) C　　　　(2) B　　　　(3) C　　　　(4) B　　　　(5) A　　　　(6) C
　　(7) C　　　　(8) C　　　　(9) B　　　　(10) C

※ 汉字练习

一、好汉　数码　邮箱　终于
二、1. 美　　　　2. 非　　　　3. 闭　　　　4. 洗　　　　5. 发
三、1. 净　　　　2. 劳　　　　3. 欲　　　　4. 俗
四、1. 感　　　　2. 帮　　　　3. 址　　　　4. 照　　　　5. 影

※ 任务（答案略）

第38课 我的包落在出租车上了

※ 语法练习

一、说　车　票　留　通　开　服　司
二、1. 左右　　　2. 小心　　　3. 里面　　　4. 落　　　　5. 清楚
三、1. 洗不干净　2. 发不好　　3. 看得清楚　4. 写不好　　5. 听不懂
四、1. B　　　　2. B　　　　3. B　　　　4. B　　　　5. B
五、1. 刚才　　　2. 刚　　　　3. 刚才　　　4. 刚　　　　5. 刚才
六、（答案略）
七、1—C　　　　2—A　　　　3—D　　　　4—E　　　　5—B
八、1. 我的包落在车上了。　　2. 你把小票拿出来。　　3. 以后你可要小心了。
　　4. 你应该好好儿谢谢人家。　5. 我急得不知道怎么办才好。
九、（答案略）
十、(1) C　　　　(2) C　　　　(3) A　　　　(4) C　　　　(5) B　　　　(6) C
　　(7) C　　　　(8) A　　　　(9) C　　　　(10) B

※ 汉字练习

一、车号　上面　教训　清楚
二、1. 清　　　　2. 开　　　　3. 服　　　　4. 才　　　　5. 证
三、1. 候　　　　2. 收　　　　3. 旧　　　　4. 写
四、1. 票　　　　2. 教　　　　3. 急　　　　4. 楚　　　　5. 打

※ 任务（答案略）

第39课 我想请她帮个忙

※ 语法练习

一、演 待 芭 排 学 机 字 短
二、1. 弄　　　　2. 转告　　　　3. 说起　　　　4. 负责　　　　5. 心里
三、1. 弄脏了　　2. 弄干净　　　3. 弄懂　　　　4. 弄点吃的　　5. 弄张票
四、1. B　　　　2. A　　　　　3. A　　　　　4. C　　　　　5. B
五、1. 也　　　　2. 就　　　　　3. 就　　　　　4. 就　　　　　5. 也
六、（答案略）
七、1—E　　　　2—D　　　　　3—C　　　　　4—A　　　　　5—B
八、1. 你能帮我弄张票吗？　　　　　　　　2. 你怎么不早买票呢？
　　3. 我不好意思总麻烦你。　　　　　　　4. 喂，请问安德鲁在吗？
　　5. 我听她说起过你。
九、（答案略）
十、(1) C　　　　(2) B　　　　(3) B　　　　(4) C　　　　(5) A　　　　(6) C
　　(7) A　　　　(8) C　　　　(9) B　　　　(10) A

※ 汉字练习

一、麻烦 消息 关机 打扰
二、1. 团　　　　2. 说　　　　　3. 险　　　　　4. 手　　　　　5. 转
三、1. 看　　　　2. 员　　　　　3. 却　　　　　4. 厌
四、1. 短　　　　2. 起　　　　　3. 息　　　　　4. 团　　　　　5. 麻

※ 任务（答案略）

第40课 真抱歉，我来晚了

※ 语法练习

一、行 校 撞 洗 服 滑 餐 修
二、1. 坏　　　　2. 好在　　　　3. 怪　　　　　4. 伤　　　　　5. 洒
三、1. B　　　　2. B　　　　　3. A　　　　　4. B　　　　　5. C
四、1. 没　　　　2. 不　　　　　3. 没　　　　　4. 不　　　　　5. 没
五、1. □ 怎么回事　　　　　　　　　　　2. □ 我的相机被弄坏了
　　3. □ 你的课本不是被惠美借走了吗　　4. □ 你想起来把词典放哪儿了吗
　　5. □ 我的钱包被偷走了
六、（答案略）
七、1—C　　　　2—E　　　　　3—B　　　　　4—D　　　　　5—A
八、（答案略）

九、(1) B　　　(2) A　　　(3) B　　　(4) C　　　(5) A　　　(6) C
　　(7) A　　　(8) C　　　(9) C　　　(10) B

※ 汉字练习

一、抱歉　骑　电子　马马虎虎
二、1. 总　　2. 饿　　3. 困　　4. 杯　　5. 卖
三、1. 鸡　　2. 传　　3. 同　　4. 吃
四、1. 校　　2. 意　　3. 脏　　4. 擦　　5. 被

※ 任务（答案略）

第41课 对不起，我忘告诉你了

※ 语法练习

一、约　洗　停　记　首　祝　翻　挂
二、1. 趟　　2. 过意不去　3. 挂　　4. 约　　5. 翻　　6. 白
　　7. 差点儿
三、1. B　　2. C　　3. A　　4. A　　5. C　　6. B
四、1. 遍/次　2. 趟　　3. 次　　4. 遍　　5. 趟　　6. 次
　　7. 遍/次　8. 次
五、1. C　　2. C　　3. B　　4. C　　5. C　　6. C
　　7. B　　8. A
六、(答案略)
七、(答案略)
八、1. ×　　2. √　　3. ×　　4. √　　5. ×　　6. ×
　　7. ×
九、(1) 趟　　(2) 时　　(3) 停　　(4) 突　　(5) 遍　　(6) 近

※ 汉字练习

一、生气　突然　洗澡　停
二、1. 约　　2. 诉　　3. 记　　4. 再　　5. 丢　　6. 遍
三、(答案略)

※ 阅读

1. √　　2. ×　　3. ×　　4. √　　5. ×

※ 任务（答案略）

第42课 看来，你已经习惯这里的生活了

※ 语法练习

一、活 出 胖 公 准 通 油 电

二、1. 习惯　　　2. 尤其　　　3. 出现　　　4. 准时　　　5. 从来　　　6.也许
　　7. 交通

三、1. B　　　2. B　　　3. C　　　4. A　　　5. B　　　6. B

四、1. 特别　　　　　　2. 尤其/特别　　　　　　3. 特别
　　4. 尤其/特别　　　　5. 特别

五、1. B　　　2. C　　　3. C　　　4. B　　　5. A　　　6. B
　　7. C　　　8. C

六、(答案略)

七、(答案略)

八、6—7—3—1—5—4—2

九、(1) 骑　　　(2) 对　　　(3) 尤　　　(4) 束　　　(5) 信　　　(6) 记

※ 汉字练习

一、习惯 出现 准时 交通

二、1. 转　　　2. 尤　　　3. 较　　　4. 公　　　5. 准　　　6. 论

三、(答案略)

※ 阅读

　　1. C　　　2. B　　　3. C　　　4. B

※ 任务（答案略）

第43课 看样子要下雨了

※ 语法练习

一、阴 刮 晴 云 教 伞 春 沙

二、1. 估计　　　2. 肯定　　　3. 本来　　　4. 破坏　　　5. 原因　　　6. 原来
　　7. 举办　　　8. 保护

三、1. A　　　2. B　　　3. B　　　4. A　　　5. B　　　6. A

四、1. 本来　　　2. 原来　　　3. 原来　　　4. 本来/原来　　　5. 原来

五、1. C　　　2. B　　　3. C　　　4. A　　　5. C

六、(答案略)

七、(答案略)

八、1. ✗   2. ✓   3. ✗   4. ✓   5. ✗   6. ✓
　　7. ✗   8. ✓

九、(1) 和   (2) 心   (3) 破   (4) 要   (5) 护   (6) 举

※ 汉字练习

一、环境 肯定 保护 举办

二、1. 阴   2. 晴   3. 估   4. 像   5. 暖   6. 境

三、治理－环境　保护－动物　管理－工厂　安排－工作　庆祝－节日　游览－名胜古迹
　　举办－方法　破坏－环境　改变－计划　改正－错误　打扫－房间　参观－博物馆

※ 阅读

　　1. C   2. B   3. A   4. C

※ 任务（答案略）

第44课　她好像有什么心事

※ 语法练习

一、朗 担 谈 遇 烦 追 孩 信

二、1. 理   2. 好像   3. 开朗   4. 办法   5. 担心   6. 放心
　　7. 遇到   8. 敢

三、1. A   2. B   3. A   4. B   5. B   6. B

四、1. 怎么   2. 什么   3. 什么   4. 怎么   5. 什么   6. 什么
　　7. 怎么   8. 什么

五、1. C   2. B   3. C   4. B   5. C   6. C
　　7. C   8. C

六、1. □没怎么啊。怎么了   2. □怎么可能呢   3. □咳，其实也没什么
　　4. □马克怎么没来   5. □我没听见你叫我

七、（答案略）

八、1. 怎么   2. 刚才   3. 那么   4. 出来   5. 其实   6. 担心
　　7. 整天   8. 遇到

九、(1) A   (2) B   (3) B   (4) A   (5) B   (6) A

※ 汉字练习

一、办法 担心 放心 遇到

二、1. 朗　　　　2. 像　　　　3. 担　　　　4. 谈谈　　　5. 堵　　　　6. 胆

三、念：念书　念报纸　念生词　念课文　　　写：写汉字　写作业　写名字　写信

　　听：听音乐　听歌　听录音　听磁带　　　喝：喝咖啡　喝水　喝茶　喝汤

※ 阅读

　　1. C　　　　　2. A　　　　　3. C　　　　　4. B

※ 任务（答案略）

第45课　早睡早起身体好

※ 语法练习

一、夜　睁　眼　晨　烟　醒　利　观

二、1. 精神　　　2. 改变　　　3. 睁　　　4. 醒　　　5. 胜利　　　6. 改正
　　7. 养

三、1. C　　　　2. B　　　　3. A　　　4. A　　　5. B　　　6. A

四、1. C　　　　2. B　　　　3. B　　　4. C　　　5. C　　　6. A

五、1. 开夜车　　　2. 睁眼　　　3. 说话算数　　　4. 无论如何　　　5. 笑一笑，十年少
　　6. 饭后百步走，活到九十九

六、（答案略）

七、1. 你每天怎么都那么精神呢?　　　　2. 你应该改变一下儿自己的习惯。
　　3. 我们还是应该把一些坏习惯改掉。　　4. 从那以后我再没喝过酒。
　　5. 你早上起来都做些什么?

八、(1) 易　　　(2) 拿　　　(3) 成　　　(4) 胜　　　(5) 论　　　(6) 观

※ 汉字练习

一、改变　早晨　胜利　毛病

二、1. 睁　　　　2. 戒　　　3. 利　　　4. 酒　　　5. 改　　　6. 持

三、（答案略）

※ 阅读

　　1. C　　　　　2. C　　　　　3. C　　　　　4. C

※ 任务（答案略）

第46课　坚持到底就是胜利

※ 语法练习

一、爬 船 外 车 爱 气 顶 快
二、1. 舍不得　　2. 快乐　　　3. 美好　　　4. 主意　　　5. 到底　　　6. 只要
　　7. 所以　　　8. 组织
三、1. B　　　2. C　　　3. B　　　4. B　　　5. B　　　6. B
四、1. B　　　2. B　　　3. C　　　4. C　　　5. C　　　6. C
　　7. A
五、1. 只要　　2. 只有　　3. 只要　　4. 只有　　5. 只要
六、(答案略)
七、1. D　　　2. D　　　3. D　　　4. B　　　5. A　　　6. B
八、(1) C　　(2) C　　(3) A　　(4) B　　(5) B　　(6) C

※ 汉字练习

一、美好 组织 心情 所以
二、1. 劲　　　2. 进　　　3. 外　　　4. 怕　　　5. 地　　　6. 愉
三、(答案略)

※ 阅读

　　1. B　　　2. B　　　3. A　　　4. C

※ 任务（答案略）

第47课　你的汉语进步真大

※ 语法练习

一、持 唱 相 朗 诗 扔 究 家
二、1. 进步　　2. 夸奖　　　3. 所以　　　4. 千万　　　5. 不但　　　6. 继续
　　7. 希望　　8. 联系
三、1. B　　　2. A　　　3. B　　　4. B　　　5. B　　　6. A
四、1. 从　　　2. 向　　　3. 从　　　4. 向　　　5. 从
五、1. C　　　2. C　　　3. B　　　4. A　　　5. C　　　6. B
　　7. C
六、(答案略)
七、(答案略)
八、(1) 乡　　(2) 开　　(3) 记　　(4) 识　　(5) 方　　(6) 家

※ 汉字练习

一、进步 唱歌 继续 希望
二、1. 持 　　　 2. 进 　　　 3. 准 　　　 4. 诲 　　　 5. 续 　　　 6. 向
三、闭—开 　　 快—慢 　　 对—错 　　 好—坏 　　 新—旧 　　 高—矮
　　早—晚 　　 贵—便宜 　 脏—干净 　 下—上 　　 多—少 　　 长—短
　　黑—白 　　 轻—重 　　 好吃—难吃 　放松—紧张 　放心—担心

※ 阅读

1. B 　　　　　 2. A 　　　　　 3. B

※ 任务（答案略）

第48课 　祝你一路平安

※ 语法练习

一、言 信 福 发 别 收 接 平
二、1. 写 　　　　 2. 幸福 　　　 3. 发 　　　 4. 联系 　　 5. 告别 　　 6. 收拾
　　7. 全 　　　　 8. 代
三、1. B 　　　　 2. B 　　　 3. B 　　　 4. B 　　　 5. B 　　　 6. B
四、1. C 　　　　 2. B 　　　 3. B 　　　 4. C 　　　 5. A 　　　 6. C
五、(答案略)
六、(答案略)
七、1. D 　　　　 2. A 　　　 3. A 　　　 4. B 　　　 5. A 　　　 6. B
八、1. 越……越 　　　　　 2. 不但……而且 　　　　 3. 如果……就
　　4. 无论……都 　　　　 5. 一边……一边 　　　　 6. 有时候……有时候
　　7. 因为……所以 　　　 8. 虽然……但是

※ 汉字练习

一、幸福 收拾 告别 通信
二、1. 话 　　　　 2. 址 　　　 3. 暑 　　　 4. 拾 　　　 5. 平 　　　 6. 代
三、(答案略)

※ 阅读

1. C 　　　　　 2. C 　　　　　 3. C 　　　　　 4. C

※ 任务（答案略）

郑 重 声 明